Collection Formation langue
CRÉDIF
École Normale Supérieure Fontenay/Saint-Cloud
Centre de Recherche et d'Étude pour la Diffusion du Français

Une vie d'instit'

LIVRET D'ACTIVITÉS

Renée BIRKS
Université de Glasgow

Odile LEDRU-MENOT
Université de Paris III

Michèle GARABEDIAN
CRÉDIF

Didier / HATIER

Renée Birks souhaite exprimer sa vive gratitude à Jacques-Michel Lacroix, du BCLE de Glasgow, qui lui a prodigué conseils et encouragements et a beaucoup contribué à la réalisation du projet. Elle remercie chaleureusement Sylvie Courally, Saïda Trabelsi, Jeanne Lacroix et Catherine Barnoud pour toutes leurs suggestions ainsi que Noël Peacock, de l'Université de Glasgow, pour son précieux soutien.
La version définitive d'*Une vie d'instit'* doit beaucoup aux enseignants du Primaire de la Région de Strathclyde qui ont participé à l'expérimentation du matériel : qu'ils en soient ici vivement remerciés !
Une vie d'instit' a bénéficié du soutien du Ministère des Affaires Etrangères.

Cassettes vidéo :

Production exécutive : ENS production - École Normale Supérieure Fontenay/Saint-Cloud
Réalisation : Renée Birks et Jean-Claude Durand

Couverture : SG Création - Conception graphique : Studio Coline
Plan page 34 : Xavier Hüe

© Les Éditions Didier, Paris, 1993   ISBN 2-278-04294-7   Imprimé en France

SOMMAIRE

INTRODUCTION

Présentation générale

Enseigner une langue étrangère à l'école primaire n'est pas chose évidente. On demande déjà beaucoup à des enseignants qui sont loin d'exercer dans des conditions idéales et qui ont peu de temps libre. N'est-ce pas trop demander que de suggérer de nouvelles responsabilités, une nouvelle spécialisation ?

Une vie d'instit' et *Travail d'instit'* reposent sur la conviction que les enseignants du primaire sont les personnes les mieux placées pour introduire le français dans leurs classes : ils connaissent bien leurs élèves, ils peuvent intégrer le français dans d'autres activités, s'adresser aux enfants dans la langue étrangère à des moments jugés propices - ce que ne peuvent pas faire les spécialistes de passage à une heure déterminée. Ce matériel est donc destiné à assurer la formation de tous les enseignants qui souhaitent aider leurs élèves à découvrir une langue étrangère.

Pour ce qui est de la compétence de communication linguistique, la formation doit satisfaire à deux besoins fondamentaux :
– L'enseignant a besoin de s'exprimer de façon autonome en réponse à des contextes divers, ceci étant la seule façon d'intégrer le français dans de nombreuses activités de classe ou situations de communication en dehors du cours de langue. La formation vise donc à assurer des bases solides et débouche sur une compétence de communication linguistique générale. C'est l'objectif d'*Une vie d'instit'*.
– L'enseignant a également besoin d'opérer dans un domaine spécialisé bien précis, celui de la gestion de la classe. La formation nécessite donc d'inclure tout un vocabulaire et une langue spécifiques. C'est là l'objectif de *Travail d'instit'*.

Il est également nécessaire de tenir compte des circonstances de travail des apprenants : la formation doit donc privilégier au maximum l'autoformation, l'autoapprentissage, tout en offrant un encadrement systématique.

Une vie d'Instit' présente des enseignant(e)s français(es) qui parlent de leur vie, personnelle et professionnelle, à leurs collègues étrangers.

Le matériel s'adresse à des « semi-débutants » qui souhaitent reprendre l'étude du français pour pouvoir l'enseigner à l'école primaire. Il permet de se perfectionner de manière accélérée, en autoformation ou avec l'aide d'un formateur et d'autres apprenants.

Cependant, dans la mesure où les premières unités permettent une révision systématique des structures de base (déterminants, présent de l'indicatif, interrogation, négation), un débutant dont la langue maternelle est proche du français peut utiliser cette méthode.

Le matériel

Deux cassettes vidéo :
une cassette vidéo (A), accompagnée d'un *Livret d'activités* et d'un *Guide d'Utilisation* interdépendants (cf. description ci-après).
une cassette vidéo (B), accompagnée d'un *Livret de transcriptions* ; cassette et livret constituent un matériel complémentaire et optionnel, facilitant le renforcement et l'évaluation des acquis.
Ce matériel vise à développer une réelle compétence de communication en accordant une importance égale à l'oral et à l'écrit, en insistant sur la correction de l'expression et sur la qualité

de l'accent, particulièrement importante pour des enseignants qui s'adressent à de jeunes enfants.

Le choix du support vidéo et de son mode d'utilisation sont liés à la volonté de rendre visuellement présents les instituteurs interviewés. Leur parole, en trouvant des résonances chez leur homologues étrangers, suscite implication personnelle et intérêt. Cette parole peut ainsi être plus facilement observée, comprise, mémorisée et réutilisée - dans ses dimensions simultanément verbales et non verbales.

Les contenus culturels et linguistiques : voir tableau pages 8 et 9.

Le Livret d'activités comporte

– une présentation des 10 phases d'activités suggérées ;
– des fiches détachables pour les phases I, II, et VII ;
– les activités proposées pour chacune des 12 Unités.

Le Guide d'Utilisation comporte

– une section : « Pour en savoir plus et comprendre mieux »
  Elle s'adresse tout particulièrement aux formateurs, et apporte des informations sur l'approche pédagogique novatrice, choisie pour les phases I, II, VII et X.
  Elle fournit en même temps aux apprenants des éléments susceptibles de les aider à mieux comprendre et utiliser les caractéristiques spécifiques du matériel.
– une section intitulée : « Pour vérifier par vous-même »
  Elle propose des solutions et explications pour les activités proposées ainsi que la transcription intégrale, non ponctuée, de toutes les paroles enregistrées.

La conception des activités

Les activités suggérées ont été élaborées et expérimentées en se fondant sur les options et l'expérience des auteurs dans trois domaines complémentaires :
– l'enseignement de la langue française à des publics de toutes appartenances linguistiques et culturelles
– la recherche sur le fonctionnement des communications parlées et des apprentissages
– la pratique de la formation didactique et pédagogique des enseignants.

Renée Birks, qui est à l'origine du projet, a assuré la responsabilité de la démarche d'ensemble et a élaboré les activités des phases III, IV 1ʳᵉ partie, V, VI, VIII et X.

Odile Ledru-Menot a mis au point les transcriptions semi-brutes, a conçu et élaboré les activités concernant le traitement de l'oral et des relations oral-écrit pour le développement de l'écoute, de la compréhension et de la production orales, et de la lecture - (Phases I, II, IV 2ᵉ partie, et VII).

Michèle Garabédian a collaboré à la réalisation de l'ensemble du projet et a sélectionné les textes de la phase IX et travaillé aux activités de la phase X.

Travail d'instit' complète *Une vie d'instit'*. Les enseignants ou futurs enseignants du primaire pourront y trouver des éléments complémentaires pour gérer leurs propres classes en français.

Les 10 phases d'activités suggérées

C'est la parole des instituteurs français interviewés dans les documents vidéo qui est à la base de votre apprentissage, et c'est elle qui va vous permettre de développer vos compétences de communication en français, à l'aide des activités que nous vous proposons. Celles-ci se déroulent en 10 phases, successives et complémentaires.

Phase I :   Visionner et réagir

Phase II :   Allier l'oral et l'écrit : Écouter, lire, écrire

Phase III :   Exprimer la compréhension globale

Phase IV :   Préciser l'observation et la compréhension

Phase V :   Comprendre et réutiliser le lexique

Phase VI :   Comprendre et réutiliser les structures

Phase VII :   Réévoquer

Phase VIII :   S'exprimer librement

Phase IX :   Lire pour en savoir plus

Phase X :   Réutiliser et transposer dans la salle de classe

Les caractéristiques des 10 phases

La phase I vous demande d'abord de vous situer par rapport à chaque document en exprimant vos réactions. Cela peut être fait assez rapidement.

La phase II vous permet de vous « imprégner » de la parole de vos collègues francophones tout en vous familiarisant avec la graphie du français. Elle s'appuie sur le rythme linguistique et corporel, et sur l'intonation. C'est une phase qui prépare et facilite toutes les activités des phases suivantes sans exception.

Les phases III et IV vous proposent de préciser votre compréhension de ce qui a été dit, d'abord d'une façon globale, ensuite de façon plus détaillée. La deuxième partie de la phase IV vous permet tout particulièrement de développer une compétence d'écoute et de compréhension préparatoire à l'expression, grâce à des activités précisément centrées sur le rythme, l'intonation, la gestualité (au sens large), les sons de la langue (phonèmes) et leurs correspondants orthographiques.

Toutes les activités de **la phase V** portent sur le lexique et favorisent l'extension de votre vocabulaire au-delà des termes contenus dans les séquences vidéo. Nous vous recommandons de constituer progressivement vos propres glossaires sur des thèmes précis, et d'apprendre à retrouver les familles de mots.

Toutes les structures morphosyntaxiques (c'est-à-dire les formes linguistiques et les règles gouvernant leur emploi) sont présentées de façon progressive et systématique dans **la phase VI**. Les exercices grammaticaux proposés comme activités suivent la démarche observation / repérage → analyse → réemploi.

La phase VII vous permet de marquer un temps d'intégration du travail effectué ; il est utile de prendre l'habitude de réévoquer ce que vous avez vu, entendu, vécu, pour consolider les acquis, avant de passer à la phase VIII.

Dans **la phase VIII**, vous allez pouvoir développer pleinement votre compétence d'expression orale, et en particulier, donner votre point de vue sur les thèmes couverts, les idées exprimées, ou prendre part à des jeux de rôles. C'est là bien entendu le premier objectif vers lequel tendent toutes les autres activités : vous permettre de vous exprimer avec aisance et précision.

La phase IX vous offre un texte à lire qui renforce l'aspect interculturel et civilisationnel de toute la démarche méthodologique.

Enfin, **la phase X** n'oublie pas que d'apprenant vous allez très vite devenir enseignant de français. Elle vous invite à réfléchir sur l'ensemble de vos acquis, et à voir comment ceux-ci peuvent être transposés ou adaptés dans votre salle de classe.

Les activités des phases I, II et VII sont présentées dans les pages suivantes sous forme de *fiches détachables*. Nous vous recommandons de procéder aux visionnement(s) - phase I - et aux réécoutes de la partie sonore - phase II - en fractionnant chaque séquence en segments courts - délimités selon votre choix.

Autoformation et/ou formation sous forme de stage ?

Il est certain que vous pouvez travailler seul(e) sur la plupart des activités et exercices suggérés dans le *Livret d'activités*.

Le *Guide d'utilisation* vous permet de vérifier vos réponses et vous propose des explications et des tableaux récapitulatifs, ce qui signifie que vous pouvez travailler de façon autonome, à votre propre rythme.

Nous pensons cependant que le travail à plusieurs, en vous permettant de confronter vos réactions à celles d'autres personnes, facilite votre tâche et peut vous éviter le découragement, surtout si vos besoins sont identiques, ou si vous pouvez vous aider mutuellement.

Nous vous recommandons donc de travailler à plusieurs, si possible.

Nous pensons que la meilleure solution est l'organisation de stages animés par des formateurs spécialisés qui pourront vous guider de façon systématique dans votre travail personnel, et qui aborderont avec vous toutes les questions d'ordre pédagogique. Pour la phase VIII en particulier, une personne parlant français couramment peut vous servir d'interlocuteur(trice).

Combien de temps consacrer à chaque unité ?

En autoformation, cela va évidemment dépendre de vous.

Dans le cadre de stages, un minimum de 5 heures par unité est conseillé mais nous vous suggérons de décider avec le formateur quelles phases seront préparées en autoformation, et lesquelles le seront dans le contexte du cours. En d'autres termes, vous avez la possibilité méthodologique de construire votre parcours en fonction de vos besoins, et du temps disponible.

UNITÉS PAGES	SÉQUENCES VIDÉO	CHAMPS LEXICAUX	NOTIONS	CHAMPS SYNTAXIQUES	ORALITÉ ET RELATIONS ORAL/ÉCRIT
U. 1 P. 11	**Présentations (6 mn 23)** • Le système éducatif de 3 à 18 ans • Je m'appelle…	• Le système éducatif • La profession d'enseignant • La situation familiale • Les nombres et les chiffres	• Présenter une information • Parler de soi (nom, métier, famille) • Être précis	• Les verbes être et avoir au présent • La négation • L'interrogation • Les pronoms personnels • Les articles, les possessifs • Le pronom relatif «qui» • Depuis	• Pauses • Nombre de syllabes prononcées • Euh • E instable • [i]
U. 2 P. 22	**Où ? (6 mn 19)** • Où travaillez-vous ? • Où habitez-vous ?	• L'école (le bâtiment) • La salle de classe • Le logement • Les moyens de transport	• Se situer dans l'espace • Situer les objets dans l'espace • Donner des directions	• Les prépositions et les adverbes de lieu • Les pronoms relatifs qui, que, où, dans lequel • Le pronom y • Les verbes au présent • Aller, venir, pouvoir, prendre	• Syllabes prononcées (délimitation) • Compréhension de l'oralité • [a] • [u] • E surajouté
U. 3 P. 31	**Une journée d'instit' (6 mn)** • Emploi du temps • Une journée typique • Le matin avant la classe • On nous demande tout !	• L'emploi du temps et les matières • L'heure • Les moments de la journée • Les jours de la semaine • Les abréviations scolaires	• Se situer et situer ses activités dans le temps • Exprimer l'obligation, donner des ordres, des consignes • Dire ce que l'on fait	• Devoir, il faut • Faire et faire faire • Les expressions de temps (l'heure, la fréquence, la simultanéité) • Les verbes pronominaux	• Observation du non verbal et compréhension de la situation • Groupe rythmique • Allongement syllabique • Reproduction guidée • Phonèmes, prononcés ou non, et organisation rythmique • Lecture-écoute guidée • [i], [a], [u]
U. 4 P. 43	**Les repas à l'école (5 mn 52)** • La cantine scolaire, un repas typique • Est-ce que vous mangez à la cantine ? • Goûts et préférences	• Les repas à l'école • Les aliments en général • La surveillance de la cantine • L'expression des goûts	• Exprimer ses goûts et ses préférences • Exprimer la quantité • Généraliser, énumérer • Désigner, mettre en valeur • Donner des raisons	• L'article partitif du, de la, des • beaucoup (de), trop (de), plusieurs, etc. • Pour + nom ; pour + infinitif • Ce qui, celui qui, etc.	• Groupe rythmique et allongement syllabique • Compréhension de l'oralité ; • [e] • Observationsde formes orthographiques • [ɑ̃] • [ɛ]
U.5 P. 52	**Les loisirs (4 mn 57)** • Quels sont vos loisirs ? • Les loisirs préférés	• Les sports • La musique et la danse • Le cinéma, le théâtre, la télévision • La poterie, la peinture, la sculpture • Autres activités	• Révision : situer dans le temps et l'espace ; goûts et préférences	• Les prépositions • En + participe présent	• Lecture-écoute guidée • Compréhension… • Liaisons • [o], [ɔ] • Syllabes accentuées • Synchronisation rythmique (accent verbal - accent kinésique)

Unité / Page	Thème	Objectifs communicatifs	Grammaire	Phonétique
U. 6 P. 60	**À la ville ou à la campagne ? (4 mn 18)** • Vivre à la ville ou à la campagne ? • Enseigner en ville ou à la campagne ?	• le milieu urbain, la ville • le milieu rural, la campagne	• Faire des comparaisons • Exprimer un point de vue	• Les comparatifs, plus de / que, moins de/que, etc... • pouvoir au présent	• Organisation rythmique et phonèmes • Production orale guidée : syllabes accentuées, groupes rythmiques, liaisons • [y] • Compréhension de l'oralité • [i], [e], [o], [u] • Prononciation des lettres de l'alphabet
U. 7 P. 68	**Retour de classe transplantée (4 mn 06)** • Une classe gastronomique	• les classes transplantées • les cinq sens • la cuisine • l'apiculture • les animaux de la ferme	• Dire ce que l'on a fait • Énumérer • Exprimer une opinion / une préférence	• Le passé composé (avoir + participe passé, être + participe passé)	• [y], [u], [ɑ̃] • [w] • [ɥ]
U. 8 P.	**L'école autrefois (6 mn 46)** • La demoiselle	• La mémoire • La salle de classe • Les élèves • La mairie	• Dire comment les choses étaient • Mettre une information en valeur • Éviter les répétitions • Exprimer l'accord ou le désaccord	• L'imparfait • L'opposition passé composé / imparfait / plus-que-parfait • L'impératif • Les pronoms personnels • Les constructions infinitives	• Observation du non verbal et compréhension de la situation • Compréhension de l'oralité • Exemple d'accent régional • Observation du non verbal et compréhension linguistique
U. 9 P. 88	**La formation (5 mn 48)** • La normalienne • Un peu d'histoire	• La formation • Les études	• Parler de ce que l'on a fait • Rapporter des événements passés	• Révision des temps du passé • La forme passive	• [ɣ] • Éléments rythmiques • Reproduction orale guidée • Production orale personnelle du texte • Liaisons, enchaînements vocaliques et consonantiques • [õ] • [ɛ]
U. 10 P. 96	**L'avenir le dira ? (6 mn 09)** • Bulletin météo • Projets de vacances	• le bulletin météo • les points cardinaux • les projets de vacances	• Parler du temps qu'il fera • Dire ce que l'on va faire	• Le futur • L'explication	• [ø] • Compréhension de l'oralité • [œ]
U. 11 P. 106	**La vie avec des si (5 mn)** • Si j'étais ministre de l'Éducation nationale. • Si je n'avais pas été instit'	• Les conditions de travail des enseignants	• Exprimer des hypothèses, des souhaits, des suggestions, des regrets • Rapporter une information	• Le conditionnel présent et le conditionnel passé • La formation des adverbes	• Géminée • [ø], [œ] • Compréhension de l'oralité • Phonèmes et organisation rythmique • Observation, notation, description de la gestualité et compréhension
U. 12 P. 116	**Les rythmes scolaires (3 mn 37)** • Mercredi ou samedi libre ? • Des journées trop longues **Post-scriptum (0 mn 40)**	• Le repos • L'école et l'église	• Exprimer un souhait, un regret	• Le subjonctif et ses déclencheurs • Que + subjonctif, que + indicatif	• [ɑ̃], [õ], [ɛ̃] • Compréhension de l'oralité • Synchronisation rythmique • Activité globale de consolidation

Phase I : Visionner et réagir

Résumé des suggestions pour la phase I

→ Visionner   *ou* : Évoquer, puis visionner
→ Noter   ressenti / pensé, vu, entendu, compris → confronter
→ Visionner   → confronter
→ Réfléchir sur l'apport du travail et développer l'ancrage affectif

---

1* **Visionnez**, c'est-à-dire regardez et écoutez une première fois une séquence, ou un fragment de séquence.

> De temps en temps, vous pouvez aussi commencer par l'activité suivante :
> **Rassemblez, par écrit**, dans l'ordre de votre choix, tout ce qu'évoque, pour vous, le titre de l'Unité et /ou de la séquence. **Puis visionnez.**

2* **Notez**, dans l'ordre de votre choix, à l'intérieur de 4 colonnes, ce que vous avez

ressenti /pensé	entendu	vu	compris

> Vous pouvez aussi faire cette activité oralement.
> *Si vous travaillez en groupe*, **confrontez** vos réactions à celles d'autres personnes.

3* **Visionnez à nouveau et complétez** vos premières réactions (vous allez sans doute confirmer, ajouter, modifier).

> *Si vous travaillez en groupe*, **confrontez** à nouveau : observez les points communs, les différences...

4 **Précisez l'intérêt,** pour vous, du travail effectué dans les trois étapes précédentes :

> Qu'avez-vous appris à partir du document et, dans le cas d'un travail de groupe, à partir des échanges avec les autres personnes ? Qu'avez-vous aimé ? Quels sont les points à clarifier ?

---

* Pour les activités 1, 2, et 3 vous pouvez aussi adopter la procédure suivante :
  - un groupe *visionne* la séquence (image et son associés) et un autre groupe *écoute* seulement la bande son (sur cassette audio ou en tournant le dos à l'écran) ;
  - chaque groupe *exprime* ses réactions dans le cadre des 4 colonnes suggérées ;
  - les deux groupes *se réunissent et confrontent* leurs résultats, en commençant par l'expression du « groupe-écoute ».
  - les deux groupes visionnent ensemble et réagissent.

Phase II : Allier l'oral et l'écrit - écouter, lire, écrire

+Résumé des suggestions pour la phase II

→ Consulter / transcrire / prendre des notes
→ Ecouter en lisant silencieusement
→ Souligner / comparer / vérifier
→ Réécouter en lisant et en bougeant

→ Réécouter en fredonnant, puis en chuchotant
→ Restituer par écrit
→ Réfléchir sur sa progression

1 Vous pouvez
   a. soit **consulter** tout de suite la transcription orthographique de la séquence ;
   b. soit essayer de **transcrire vous-même** un fragment de séquence de votre choix : (réécoutez *autant de fois que nécessaire*, observez les difficultés rencontrées) ;
   c. soit **prendre des notes** à votre manière, librement, ou en vous donnant des consignes spécifiques.

> *Si vous travaillez en groupe,* **confrontez** votre écoute, votre façon de travailler et vos notes à celles d'autres personnes.

2 **Écoutez en lisant silencieusement** la transcription fournie dans le *Guide d'Utilisation.*

3 Selon votre choix pour l'étape 1 ci-dessus :
   a. **soulignez les mots** que vous avez entendus et/ou écrits pendant les écoutes de la phase I ;
   b. **comparez** votre transcription avec celle qui est fournie ;
   c. **vérifiez vous-même** la présence des éléments que vous avez notés en vous référant à la transcription.

4 **Réécoutez en lisant silencieusement** la transcription.

> Si vous avez des difficultés à lire les mots en même temps que vous les entendez, réécoutez **en suivant le texte des yeux et du doigt,** plusieurs fois si nécessaire ; puis refaites une **« lecture-écoute-balayage » normale.**

5 **Réécoutez** (*avec*, puis *sans* support écrit) **en « fredonnant »** la forme sonore du texte parlé, puis **en chuchotant le texte.**

> Il s'agit ici d'une *imprégnation globale*, appuyée sur le rythme et l'intonation ; l'objectif n'est pas ici de restituer le détail des sons et des mots.

6 **Restituez par écrit**, si vous le souhaitez, tout ce qui vous reste en mémoire du texte parlé : d'abord *dans l'ordre de votre choix*, puis en reclassant les paroles ainsi restituées *par ordre chronologique*.

> **Vérifiez** en vous reportant à la transcription. Refaites ce travail plusieurs fois, pour restituer, à chaque fois, d'autres éléments du texte.

7 **Réfléchissez sur votre progression**, sur l'apport des activités de la phase II - en liaison avec la phase I.

> Observez particulièrement comment les activités 4 et 5 vous permettent de vous imprégner du rythme du français, *en l'apprenant globalement par tout le corps.*
> Quels changements et quels résultats avez-vous obtenus depuis le début de la phase I ?
> Qu'est-ce qui est important pour vous, à la fin de ces phases I et II ?

Phase VII : Réévoquer

Résumé des suggestions pour la phase VII

→ Évoquer librement les souvenirs visuels et auditifs personnels (mémoriser, ancrer affectivement)
→ Évoquer des détails sélectionnés par quelqu'un d'autre
→ Restituer, en synthèse, les formes sonores et écrites (de mémoire)
→ Résumer autrement - et comparer
→ Consolider l'ancrage affectif

Faites, au choix, une ou plusieurs des activités suggérées ci-dessous.

1 **Retrouvez, dans vos souvenirs - visuels et auditifs** - et dans l'ordre de votre choix (en fermant les yeux, si cela vous aide)
  – les images qui vous ont frappé(e) (s) au premier visionnement ;
  – les images qui vous restent en mémoire maintenant et/ou qui sont importantes pour vous
  – les voix que vous pouvez réentendre mentalement
  – des sentiments, des pensées venus en cours de travail
  – ce que vous avez appris de nouveau.

  > Pour cette question comme pour les suivantes, vous pouvez ensuite, si vous le souhaitez, confronter vos réévocations à celles de quelqu'un d'autre.

2 **Questions spécifiques** à chaque Unité (voir *Guide d'Utilisation*) :
  Dans la démarche méthodologique que nous vous proposons, des questions fermées, précises, sont formulées à cette étape. Elles portent sur ce qui a été vu et entendu. *Si vous travaillez en groupe*, élaborez vous-même des questions et échangez-les.

3 **Écrivez** tout ce que vous pouvez actuellement restituer de mémoire des paroles entendues et lues (dans l'ordre de votre choix - et si nécessaire, en reprenant ce travail à plusieurs jours d'intervalle).

4 **Restituez**, d'abord **mentalement** puis **oralement**, un fragment sonore de votre choix : aidez-vous des codages.

5 **Modifiez** une transcription erronnée, de manière à en rendre le **texte conforme** à ce qui a été dit.

6 **Refaites le résumé de la phase III** en reformulant autrement ; **comparez** ce nouveau résumé à celui que vous aviez fait et à celui qui vous a été fourni dans le *Guide d'utilisation*.

7 **Formulez**, pour vous-même ou pour d'autres personnes, au moins **deux ou trois aspects que vous avez appréciés** dans le document vidéo de l'Unité et/ou dans le travail que vous avez effectué.

  > Cette même activité pourra être reprise à la fin de la **phase X**.

Présentations

S é q u e n c e   1
Le système éducatif français de 3 à 18 ans

- - - - - - - - - - - - - - - - - -

S é q u e n c e   2
Je m'appelle...

O bjectifs spécifiques

– Présenter une information, parler de soi (nom, métier, famille).
– Repérer les déterminants, les verbes être et avoir, la négation, l'interrogation.

Faites les phases I, II et III pour chacune des séquences, puis passez aux phases suivantes qui s'appliquent aux deux séquences.

Phase I : Visionner et réagir

Cf. Fiche d'activités p. 10

Phase II : Allier l'oral et l'écrit – écouter, lire, écrire

Cf. Fiche d'activités p. 11

Phase III : Exprimer la compréhension globale

Résumez brièvement chaque séquence, oralement ou par écrit (en français ou dans votre langue maternelle).
Confrontez votre résumé à ceux du groupe ou au résumé fourni à titre d'exemple dans le Guide d'utilisation.

Phase IV : (Première partie) Préciser l'observation et la compréhension

Les activités spécifiques sur l'oral et les relations oral-écrit sont regroupées p. 124
Elles peuvent être faites avant ou après les activités ci-dessous.

A

Séquence 1 : Le système éducatif français de 3 à 18 ans

Complétez les phrases (en réécoutant l'enregistrement ou de mémoire) :

En France, l'école est obligatoire de .... ans à .... ans.

Le système éducatif français comprend l'école maternelle, l'école élémentaire, le collège et le lycée.

L'............................... comprend .... niveaux : la petite section à partir de .... ans, la moyenne section à partir de .... ans et la grande section à partir de .... ans.

À .... ans, les enfants rentrent à l'...............................

Celle-ci comprend .... : le cours préparatoire, le cours élémentaire première année, le cours élémentaire deuxième année, le cours moyen première année et le cours moyen deuxième année.

Depuis la rentrée scolaire ...., le cursus est organisé en .... : le cycle des apprentissages premiers, le cycle des apprentissages fondamentaux et le cycle des approfondissements.

Le cycle des apprentissages premiers couvre toute l'école maternelle, le cycle des apprentissages fondamentaux va de .... de l'école maternelle au ...., le cycle des approfondissements va du cours élémentaire deuxième année au cours moyen deuxième année.

Après l'école primaire, les enfants vont au ....

Celui-ci comprend .... : la sixième, la cinquième, la quatrième, la troisième.

En fin de troisième, il y a un examen : le Brevet des Collèges.

Après le collège, la plupart des élèves continuent au ....

Celui-ci comprend 3 niveaux : la classe de ...., la classe de première et la terminale.

Au lycée, les élèves doivent passer .... : le baccalauréat.

Le .... comprend deux épreuves : en fin de première, une .... de français et en fin de ...., des .... portant sur toutes les autres matières.

B Séquence 2 : Je m'appelle...

Vous avez entendu Alain, Sonia, Béatrice, Michel, Christine, Jean-Luc, Farida, Pierre, Jeannette, Isabelle, M. Dard, Bruno. Déterminez qui dit :

1. « Je suis mariée, j'ai deux garçons »   Béatrice ....
2. « je partage ma vie avec quelqu'un »   ....
3. « je suis marié avec une institutrice »   ....
4. « je suis célibataire »   ....
5. « j'ai un enfant qui a quatorze ans »   ....
6. « je n'ai pas d'enfants »   ....
7. « j'élève toute seule mes deux enfants »   ....
8. « mon mari est ingénieur-informaticien »   ....
9. « j'ai la joie d'être grand-père »   ....
10. « je suis enseignant »   ....

C Maintenant remplissez la grille ci-dessous :

Nom	Age	État civil	Enfants	Instit depuis...
Alain S.				
Béatrice				
Michel				
Christine				
Jean-Luc				
Farida				
Pierre				
Jeannette				
Isabelle T.				
M. Dard				
Bruno				

Phase V : Comprendre et réutiliser le lexique

 A **Constituez votre propre glossaire**

Pour chacun des thèmes suivants, retrouvez le lexique utilisé dans les séquences 1 et 2 puis ajoutez d'autres mots possibles.

1. Le système éducatif français :

   l'école maternelle, ...

   ....

   ....

2. La profession d'enseignant(e) :

   être enseignant, ...

   ....

   ....

3. La situation familiale, la famille :

   je suis célibataire, ...

   ....

   ....

4. Les nombres et les chiffres :

   un (premier), ...

   ....

   ....

B **Équivalents féminins**

Recherchez les équivalents féminins des termes suivants :

Exemple : le mari → la femme

1. le frère   ....

2. le fils   ....

3. le garçon   ....

4. le grand-père   ....

5. l'instituteur   ....

6. un enseignant   ....

7. un célibataire ....

8. un enfant ....

9. un professeur ....

 Précisez la différence

En vous aidant du dictionnaire, précisez la différence entre :

Exemple :   le mari et le marié
Le mari est le marié le jour de son mariage seulement.

1. son petit garçon et son petit-fils

2. un petit enfant et un bambin

3. la petite fille et la petite-fille

4. l'aîné et le cadet

Phase VI : Comprendre et réutiliser les structures

A **Parler de soi ou de quelqu'un : *être* et *avoir*, les pronoms personnels**

1. *Réécoutez ce que disent les enseignants, et faites la liste de toutes les expressions contenant les verbes **être** ou **avoir**. Vérifiez que vous savez conjuguer le verbe **être** et le verbe **avoir** au présent.*

2. *Complétez les phrases suivantes :*

Frédéric et Marielle .... instituteurs à Paris. Lui, il .... 28 ans. Elle, elle .... 27 ans. Ils .... mariés depuis quatre ans et ils .... une petite-fille de trois ans qui s'appelle Manon. Marielle n'................. pas très grande. Elle .... les yeux verts, ses cheveux .... blonds et frisés. Elle .... deux frères. Frédéric .... grand et mince. Il .... aussi frisé et il .... de grands yeux noirs. Ils .... tous les deux sympathiques. Ils .... à Paris depuis deux ans, mais ils .... en fait de Normandie. Marielle .... un cours élémentaire 2e année et Frédéric .... un cours préparatoire. Ils .... souvent fatigués après la classe. Manon .... à l'école maternelle. Elle .... toujours contente d'y aller.

3. Jeannette dit : « **Moi, je** suis Jeannette, la femme de Pierre », et Béatrice : « et **je** suis donc, **moi**, institutrice. Complétez les phrases suivantes :

a) Monsieur Dard ? Lui, ... est directeur.

b) Jean-Luc et Bruno ? Eux, ... ont un enfant

c) Farida ? Elle, ... est célibataire

d) Béatrice et Isabelle ? Elles, ... ont deux enfants.

e) Et vous, ... avez des enfants ?

f) Nous, ... sommes aussi enseignantes.

g) Et toi, ... es dans quelle classe ?

h) Elle est donc, ... la mère de Vincent.

i) Ils sont donc, ..., à l'école élémentaire.

j) Tu es donc, ..., le fils de Pierre.

*Quelle est la valeur des pronoms **moi, toi, lui, elle, nous, vous, eux,** et **elles** dans le contexte ci-dessus ?*
Dans quels autres contextes est-ce qu'on les trouve ?

Exemples : Venez chez moi.
            Corinne, c'est toi ?

Voir aussi Unité 3, Phase VI et en particulier le *Guide d'utilisation* p. 50

Demander quelque chose, poser des questions

1. *Relevez les quatre questions posées aux enseignants. Quels sont les deux procédés utilisés ?*

2. *Trouvez d'autres façons de poser des questions : soulignez et analysez par exemple les questions posées au cours des exercices de cette phase.*

3. *Faites la liste de tous les mots interrogatifs que vous connaissez.*

Répondre négativement

1. *Relevez les réponses négatives des instituteurs (à partir de l'enregistrement ou de la transcription).*
Quel est le procédé utilisé ? Quelles autres constructions négatives connaissez-vous ?

2. *« Vincent ne va pas encore à l'école. » Que veut dire cette phrase ? Cochez la bonne réponse.*
   a) Il ne va pas à l'école, mais il va y aller bientôt.
   b) Il n'a pas l'âge d'aller à l'école maintenant.
   c) Il reste toujours à la maison.

Être précis : reconnaître et utiliser les déterminants qui précèdent les noms

1. *Observez la forme (masculin, féminin, singulier, pluriel, forme contractée) des mots écrits en caractère gras dans les contextes suivants et analysez les différences de sens :*

a) Les articles définis et indéfinis :

> Exemple : Je suis enseignant à **l'**école de La Touche, **une** école primaire publique.
> l' = article défini (fem.), il y a une seule école dans le village.
> une = article indéfini (fem.), une école parmi d'autres.

En France, **l'**école est obligatoire de 6 ans à 16 ans.

Depuis **la** rentrée scolaire 1991, **le** cursus est organisé en 3 cycles: **le** cycle **des** apprentissages premiers, **le** cycle **des** apprentissages fondamentaux et **le** cycle **des** approfondissements.
(...)
Au lycée, les élèves doivent passer **un** examen : **le** baccalauréat.

Le baccalauréat comprend deux épreuves : en fin de 1re, **une** épreuve de français et en fin de terminale, **des** épreuves écrites et orales portant sur toutes **les** autres matières.
Je suis institutrice depuis **une** quinzaine d'années. J'ai **une** grande fille qui est dans **un** lycée à Asnières.

b) Les adjectifs possessifs :

> Exemple : Sona : « **mon** diplôme de langue et de culture »
> mon = adjectif possessif devant nom masculin singulier
> personne qui possède : je (Sonia)

Béatrice :	« **Mon** mari est ingénieur. »
Michel :	« Voilà, c'est **ma** situation. »
Christine :	« Je partage **ma** vie avec quelqu'un. »
Jeannette :	« Voici **ses** deux fils, Rémi et Vincent. »
Isabelle T :	« J'élève toute seule **mes** deux enfants.
Jean Dard :	« Je m'appelle Monsieur Dard, Jean de **mon** prénom.
	Je suis directeur... et c'est **ma** dernière année. »
Bruno :	« Je vous présente ma fille... C'est **notre** première fille »

*Expliquez la différence entre **mon** mari, **ma** fille, **mes** enfants.*
Quelles autres formes connaissez-vous ?

c) Les adjectifs démonstratifs :

Michel : « Je suis (...) dans **ce** poste-là depuis 7 ou 8 ans. »
Isabelle : « J'ai un petit garçon (...) qui est ici, dans **cette** école. »

Quelles autres formes connaissez-vous ?

2. *Maintenant, faites les exercices suivants, en vous référant si nécessaire aux explications et aux tableaux du Guide d'utilisation.*

a) *Mettez les mots suivants au pluriel :*

Exemple : le lycée → les lycées

l'école   ....

la mère   ....

un enfant   ....

une institutrice   ....

son diplôme   ....

notre fils   ....

ce stage   ....

cette banlieue   ....

b) *Complétez les phrases sur le modèle suivant :*

Exemple : Jeannette est la femme de Pierre : c'est sa femme.

Marion est la fille de Michel : c'est .... fille.

Emma est la fille de Bruno et d'Isabelle : c'est .... fille.

Bruno est le mari d'Isabelle : c'est .... mari.

Rémi et Vincent sont les enfants de Pierre et Jeannette : ce sont .... enfants.

Monsieur Dard est le directeur de Béatrice : c'est .... directeur.

Je suis enseignant à Montélimar : voici .... école et .... élèves.

Nous sommes élèves au lycée Alain Borne : voici .... classe et ....

professeurs.

Vous êtes instituteur rue Alexandre Dumas. Monsieur Dard est .... directeur.

c) *Complétez les phrases suivantes par* **un, une, le, la, au, son, sa, ses, ce** *ou* **cette** *si nécessaire :*

Sonia est .... enseignante en Tchécoslovaquie. .... année, elle est en France :

elle prépare .... diplôme de français et elle fait .... stage à .... Sorbonne.

.... stage dure .... an. .... mari et .... enfants sont aussi à Paris. .... fille va à .... maternelle, et .... fils est .... cours élémentaire.

E Donner une information supplémentaire

1. A l'aide du pronom relatif

a) Complétez les phrases d'après ce que disent les enseignants interviewés :

Jean-Luc : J'ai un enfant .... a quatorze ans, ... va maintenant au lycée.

Jeannette : Moi, je suis Jeannette, la femme de Pierre, instituteur à La Touche. Voici ses deux fils : Rémi, l'aîné .... a bientôt cinq ans et demi, et .... va à l'école maternelle, et Vincent, ... a trois ans, et .... ne va pas encore à l'école.

Isabelle : J'ai une grande fille .... est dans un lycée à Asnière, à côté, ... est en première, et j'ai un petit garçon .... a sept ans, ... est ici dans cette école, en CM1.

Jean Dard : J'ai une grande fille .... est une grande fille oui, ... a une trentaine d'années, ... est assistante sociale.

b) Trouvez une autre façon de dire :
J'ai un petit garçon qui a 7 ans.
J'ai une grande fille qui a une trentaine d'années.

2. À l'aide de « depuis »

a) Relevez les phrases où apparaissent « depuis ».

b) Complétez les phrases suivantes en fonction de votre expérience personnelle.

J'étudie le français depuis ....

Je suis instituteur/institutrice depuis ....

J'habite à .... depuis ....

c) Expliquez comment vous comprenez l'utilisation de « depuis ».

Phase VII : Réévoquer

Cf. Fiche d'activités p.12

Phase VIII : S'exprimer librement

 A **Les présentations**

1. *Dites qui vous êtes.*

2. *Présentez votre voisin/e. Si vous ne le/la connaissez pas bien, posez-lui des questions avant de le/la présenter.*

B **La description physique d'une personne**

1. *Apprenez à décrire quelqu'un, par exemple :*

Il (ou elle) est grand(e) / petit(e) / de taille moyenne
Il (ou elle) est jeune / d'un certain âge / âgé(e)
Il (ou elle) a les yeux bleus / bruns / verts
Il (ou elle) a les cheveux   longs / courts/ mi-longs
                        blonds / bruns / roux / noirs
                        frisés / raides
Il (ou elle) est bien / mal coiffé(e)
Il est chauve/ a le front dégarni
Il a une barbe / une moustache
Elle est maquillée
Il (ou elle) porte des lunettes
Il (ou elle) est sérieux (euse) / sévère / souriant(e) / sympathique
Il (ou elle) a une voix agréable / désagréable / douce / grave / forte

2. *À tour de rôle, si vous travaillez en petit groupe, décrivez les enseignantes françaises que vous venez de voir, soit à partir de l'image, soit de mémoire. Dans ce dernier cas, vous pouvez faire deviner à vos collègues l'identité de la personne choisie.*

3. *Présentez la famille Lebrun (Pierre, Jeannette, Vincent et Rémi).*

 C **Le jeu des portraits**

Devinez l'identité d'un personnage célèbre choisi par une ou deux personnes du groupe. Vous posez des questions, la réponse est oui ou non.

 D **Le système éducatif de votre pays**

Présentez votre système éducatif à des collègues français, sous forme d'exposé ou de lettre.

Phase IX : Lire pour en savoir plus

**Les enfants scolarisés dans le premier degré
en France Métropolitaine + D.O.M.* + T.O.M.***

Premier degré 7 026 000 (dont 6 062 000 Pu**)

Préélémentaire	**2 682 000 (2 350 000 Pu)**
Élémentaire	**4 257 000 (3 630 000 Pu)**
Initiation, adaptation	**20 000 (19 000 Pu)**
Spécial	**67 000 (63 000 Pu)**

– 36 000 élèves prévus en 1992 - 1993

Évolution du taux de scolarisation de 2 à 5 ans

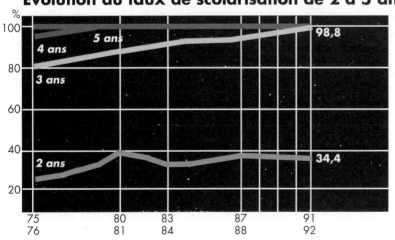

* D.O.M. : Département d'Outre-Mer (ex. La Guadeloupe, La Réunion …)
* T.O.M. : Territoire d'Outre-Mer (ex. la Polynésie française…)
Tableau et graphique tirés de *L'Éducation nationale en Chiffres, 1991-1992*.
Ministère de l'Éducation nationale et de la Culture, Édition de septembre 1992, 110, rue de Grenelle, 75357 Paris Cedex.
** Pu = public (≠ privé)

L'école maternelle à partir de 2 ans

Comme le montrent les statistiques publiées par le ministère de l'Éducation et de la Culture : 100 % des enfants de 4-5 ans, 98,8 % des enfants de 3 ans et 34,4 % des enfants de 2 ans sont accueillis à l'école maternelle.

Créée depuis plus d'un siècle (1848)[1], l'école maternelle française est aujourd'hui, avec l'école maternelle belge, la plus fréquentée d'Europe[2]. Ses performances dans le domaine de la scolarisation des tout-petits est unanimement reconnue, tant au plan national qu'au plan international. La loi d'orientation du 10 juillet 1989 confirme cette vocation et cette intégration de l'école maternelle dans le système scolaire français du premier degré – de 2 à 11 ans –, puisqu'elle précise que l'école maternelle est « le cycle des apprentissages premiers ».

Les textes officiels (1989, 1990*, 1991*) proclament que l'éducation est la première priorité nationale et que tout enfant a droit à l'éducation dès deux ans[3], en priorité dans les écoles situées dans un environnement social défavorisé.

Cette décision s'appuie sur deux observations importantes : d'une part, de plus en plus d'enfants de 2 ans, 2 ans 3 mois, 2 ans 6 mois, sont accueillis à l'école maternelle – celle-ci étant gratuite – ; d'autre part, un certain nombre d'études montrent que l'enfant qui fréquente longtemps l'école maternelle a plus de chances de réussite scolaire.

Comme la présidente de l'AGIEM (Association générale des institutrices et instituteurs des écoles et classes maternelles publiques) le souligne, « ces effets sont valables non seulement pour les enfants des milieux défavorisés, en particulier au niveau du langage, mais aussi pour les enfants favorisés, au niveau de la prise de risque ».

Cette décision soulève en France un débat important, car si « l'école à 2 ans est un fait social irréversible », à plus ou moins long terme, « l'école pour les enfants de deux ans est encore à aménager, sinon à inventer »[4].

---

* Décret du 6 septembre 1990 relatif à l'organisation et au fonctionnement des écoles maternelles et élémentaires.
* Décret du 22 avril 1991 relatif à l'organisation du temps scolaire dans ces mêmes écoles.
1. Thérèse BOISDON, *Histoire et perspective de l'école maternelle* in Écoles Maternelles, ÉDUCATION ET PÉDAGOGIES, n° 14, juin 1992, C.I.E.P. de Sèvres.
2. Dossier *l'Europe de l'école* in Le Monde de l'Éducation, janvier 1993.
3. Dossier *Maternelle à deux ans : pourquoi faire ?* in Enfant d'abord, n° 162, novembre 1992.
4. Bianka ZAZZO, *La maternelle : ruptures et progrès* in ÉDUCATION ET PÉDAGOGIES, n° 14 , juin 1992, CIEP de Sèvres.
Bianka ZAZZO, *l'école maternelle à deux ans* : oui ou non ?, Stock, Laurence Pernoud, 1984, réédition 1990, Paris.

Phase X : Réutiliser et transposer dans la salle de classe

En quoi cette unité vous est-elle utile
1. pour communiquer dans la classe en réutilisant les structures ?
2. pour proposer des activités aux enfants sur les thèmes spécifiques de l'unité ?

Confrontez vos idées à celles de votre groupe, et / ou aux suggestions du Guide d'utilisation.

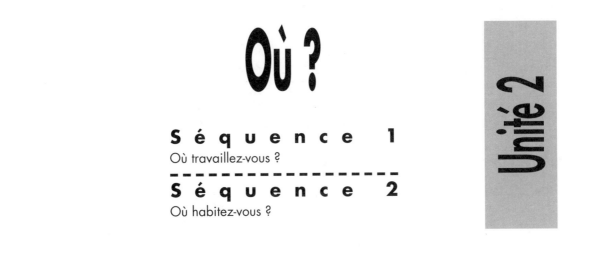

Où ?

S é q u e n c e   1

Où travaillez-vous ?

- - - - - - - - - - - - - - - - - -

S é q u e n c e   2

Où habitez-vous ?

Unité 2

O bjectifs spécifiques

– Se situer et situer les objets dans l'espace.
– Repérer les prépositions, les adverbes.
– Donner des directions.

Faites les phases I, II et III pour chacune des séquences. Puis passez aux phases suivantes qui s'appliquent aux deux séquences.

Phase I :   Visionner er réagir

Cf. Fiche d'activités p. 10

Phase II :   Allier l'oral et l'écrit – écouter, lire, écrire

Cf. Fiche d'activités p. 11

Phase III :   Exprimer la compréhension globale

Résumez brièvement chaque séquence, oralement ou par écrit (en français ou dans votre langue maternelle).
Confrontez votre résumé à ceux du groupe ou au résumé fourni à titre d'exemple dans le Guide d'utilisation.

25

Phase IV (Première partie) : Préciser l'observation et la compréhension

Des activités spécifiques sur l'oral et les relations oral-écrit sont regroupées p. 124
Elles peuvent être faites avant ou après les activités ci-dessous.

A Séquence 1 : Où travaillez-vous ?

Répondez aux questions suivantes :

1. Où est l'école de Farida ?
2. Quels sont les trois mots inscrits sur la façade ?
3. Où est la loge de la concierge ?
4. Où est le bureau de la directrice ?
5. À quel étage sont les classes des élèves les plus âgés ?
6. Décrivez la classe de Farida ?
7. Combien d'élèves a-t-elle ?
8. Où sont les toilettes ?
9. Dans quelle salle est-ce que les enseignants peuvent se détendre ?
10. Où beaucoup d'enfants mangent-ils à midi ?

B Séquence 2 : Où habitez-vous ?

Déterminez qui...

1. Qui habite dans la vallée du Rhône ? ....
2. Qui habite dans la banlieue parisienne ? ....
3. Qui a un logement de fonction ? ....
4. Qui va à l'école en voiture ? ....
5. Qui dépose son fils à l'école maternelle avant de travailler ? ....

Précisez où ils habitent et comment ils vont à l'école :

Exemple : Alain habite à Montélimar, dans la Vallée du Rhône. Logement de fonction (à l'école)

Jean-Luc : ....

Isabelle P : ....

Béatrice : ....

Isabelle S : ....

Farida : ....

Anita : ....

Josiane : ....

Phase V : Comprendre et réutiliser le lexique

 Constituez votre propre glossaire

Pour chacun des thèmes suivants, retrouvez le lexique utilisé dans les deux séquences, puis ajoutez d'autres mots possibles.

1. L'école (le bâtiment) :

   l'entrée, ...

2. La salle de classe :

   le bureau, ...

3. Le logement :

   un logement de fonction, ...

4. Les moyens de transport :

   à pied, ...

 Mots de la même famille

À l'aide d'un dictionnaire, trouvez des mots de la même famille :

Exemple : approfondissement : – approfondir (verbe)
   – approfondi/e/, profond/e/ (adjectifs)
   – profondeur (nom féminin)

1. verdure ....

2. gymnase ....

3. préparatoire ....

4. se détendre ....

5. utiliser ....

Réutilisez ces mots dans des phrases que vous pouvez vérifier pendant les cours en groupe.

Phase VI : Comprendre et réutiliser les structures

 A **Situer dans l'espace**

1. *Complétez les phrases :*

   a) L'école de Farida est .... Paris, ... Champ de Mars et .... Tour Eiffel. Quand on entre .... le hall de l'école, la loge de la concierge est .... et l'escalier est .... Le bureau de la directrice est .... premier étage, ... Les classes du cycle des approfondissements sont .... deuxième et troisième étage, ... la droite. Quand on est .... la cour de récréation, on peut voir les toilettes ...., ..., l'école maternelle, et le gymnase ....

   b) Nous prenons l'escalier et nous arrivons .... premier étage. (...) Prenons l'escalier et descendons .... rez-de-chaussée.

   c) Jean-Luc habite .... le village même des Granges-Gontardes ; sa maison est située .... l'école. Farida habite .... la proche banlieue .... Vanves, qui se trouve .... Paris.

2. *D'après les exemples ci-dessus, et ce que disent les enseignants dans l'Unité 1, quelle préposition trouve-t-on devant les noms de ville ?*

3. *Savez-vous quelles prépositions on emploie devant les noms de pays et les noms de régions ? Précisez.*

4. *Complétez les phrases suivantes :*

   Le bureau de la directrice est .... premier étage.

   Nous arrivons .... premier étage.

   Descendons .... rez-de-chaussée.

   Son école se trouve .... Paris, mais Farida retourne .... Vanves après la classe.

   Il habite .... France mais il va partir .... Italie.

   Indiquez si la préposition change selon que le verbe est un verbe de mouvement ou non.

5. *Rappelez-vous l'Unité 1: quelle préposition indique la provenance, l'origine ou le point de départ ?*

   Sonia vient .... Tchécoslovaquie.

6. *Voici une liste d'**adverbes de lieu** et de **prépositions / locutions prépositionnelles** : vérifiez le sens de ceux que vous ne connaissez pas dans un dictionnaire, puis choisissez-en cinq de chaque et réutilisez-les dans des phrases.*

a) adverbes

ici	là/ailleurs
dedans	dehors
dessus	dessous
devant	derrière
en haut	en bas
là-haut	là-bas
près	loin
partout	nulle part
n'importe où	quelque part

b) prépositions

devant	derrière
après	avant
par	pour
sous	sur
vers	chez
entre	parmi

c) locutions prépositionnelles

à droite de	à gauche de
au bord de	au fond de
au milieu de	au centre de
au bout de	au coin de
au-dessous de	au-dessus de
en face de	face à
jusqu'à	à côté de
loin de	près de

7. Isabelle Sourdais dit : « J'habite rue Mouffetard, dans le cinquième, et l'école maternelle se situe très près de mon habitation : je peux y aller à pied. »

   Le pronom « y » permet ici d'éviter la répétition de quels mots ?
   Écrivez 5 phrases où vous utilisez le pronom « y ».

8. *Pour donner des précisions quand elle nous fait visiter son école, Farida utilise de nombreux pronoms relatifs qui permettent d'éviter les répétitions.*
   Rétablissez-les dans les phrases suivantes.

   a) Nous allons jusqu'au fond du couloir, tout droit et nous prenons l'escalier .... nous

   mène au deuxième étage.

   b) Et voici mon école élémentaire .... je vais vous faire visiter.

Trois classes, puis la salle audio-visuelle et la bibliothèque .... les enfants utilisent dans la semaine ainsi que pendant la cantine.

c) Sur la droite, le gymnase .... les enfants vont pendant leurs cours d'éducation physique et sportive.

Nous traversons la cour et entrons dans le hall .... se trouve la salle des maîtres .... les maîtres et les maîtresses se détendent, prennent le café pendant les récréations.

d) Ceci est ma classe. Il y a un tableau, une estrade .... se trouve un bureau ; face à moi, une quinzaine de tables à deux places.

Nous sommes dans le hall de l'école ; c'est l'entrée .... les enfants arrivent à l'école à 8 heures et demie.

En face, le couloir .... se trouvent les classes de cours préparatoire et de cours élémentaire 1ʳᵉ année.

Quelle est la différence entre a) et b) ? Et entre c) et d) ? Peut-on utiliser le pronom de la section c) à la place des pronoms de la section d) ?
Si vous avez des difficultés, rétablissez le nom remplacé par le pronom.

Exemple : Nous prenons l'escalier ; l'escalier nous mène au deuxième étage. « qui » est sujet.

9. *Quelle est la forme du pronom relatif qui est absente ?*

Qui, que, où, ...

10. *Complétez les phrases suivantes par des prépositions, des relatifs ou le pronom « y ».*

a) Montélimar est une petite ville située .... 650 kilomètres .... Paris, ... vallée du Rhône, ... sud de Valence et .... nord d'Avignon. C'est une ville .... a un climat agréable et .... les touristes s'arrêtent souvent quand ils descendent .... Provence : ils .... achètent du nougat. Montélimar se trouve .... Rhône.

b) L'école de Bernard se trouve .... Gennevilliers, ... banlieue parisienne, ... nord-est .... Paris, ... une dizaine de kilomètres .... la Tour

Eiffel. Il .... enseigne depuis deux ans. L'école a un gymnase .... les enfants

vont s'initier à la pratique de l'escalade. Les enseignants peuvent se détendre

.... salle des maîtres .... est .... rez-de-chaussée.

c) Santiago est .... Chili, et Buenos Aires est .... Argentine. Dakar est ....

Sénégal. La Martinique est .... Antilles. Tahiti est .... Polynésie.

Cet été, je vais .... Amsterdam .... Pays-Bas, et .... Stockholm ....

Suède. Je vais aussi .... Danemark.

B Savoir conjuguer les verbes au présent

Les enseignants interviewés utilisent plusieurs verbes dont l'usage est très fréquent :
habiter / aimer /arriver / entrer / rester / traverser / se trouver / utiliser / visiter
descendre / se détendre
aller
venir
pouvoir
prendre

Pour commencer, mettez le verbe entre parenthèses à la forme qui convient :

a) Nous .... loin de l'école. (habiter)

b) Ils .... les plantes vertes. (aimer)

c) Elle .... dans la classe pendant la récréation. (rester)

d) Je .... au rez-de-chaussée. (descendre)

e) Isabelle .... à l'école en voiture. (aller)

f) Elles .... à pied. (venir)

g) Tu .... venir avec nous ? (pouvoir)

i) Est-ce que vous .... du café ? (prendre)

Vérifiez que vous savez conjuguer tous ces verbes sinon reportez-vous au Guide d'utilisation.

Phase VII : Réévoquer

Cf. Fiche d'activités p. 12

Phase VIII : S'exprimer librement

A **Votre expérience personnelle, votre point de vue**

1. *Où habitez-vous ? Donnez le plus de détails possibles.*

2. *Où est votre école ? Décrivez-la.*

3. *Donnez toutes les indications nécessaires pour aller à un endroit de votre choix proche de là où vous êtes. Votre partenaire ou le groupe doit deviner l'endroit dont il s'agit.*

   Vous pouvez utiliser les expressions suivantes :

   > vous allez tout droit/jusqu'aux feux/jusqu'au carrefour
   > vous tournez à droite/à gauche
   > vous prenez la première/la deuxième rue à droite
   > vous longez l'avenue/le parc/les quais
   > vous traversez la rue/la place/le pont
   > vous passez devant

4. *Consultez le plan de Paris (p. 34) et préparez un itinéraire pour aller :*

   a. de la Tour Eiffel à l'Arc de Triomphe
   b. de l'Arc de Triomphe au Louvre
   c. du Louvre au Musée d'Orsay et à la Chambre des députés (ou Assemblée Nationale)
   d. du Musée d'Orsay à Notre-Dame de Paris
   e. de Notre-Dame au Centre Pompidou (Beaubourg)
   f. de Beaubourg au Quartier Latin (Panthéon et Jardin du Luxembourg)

5. *Quelles villes et/ou régions de France connaissez-vous ? Donnez des détails.*

B **Jeux de rôle**

1. Vous allez à Paris : Farida vous fait visiter son école et vous lui décrivez la vôtre. Vous notez en particulier les ressemblances et les différences dans la disposition des lieux (cour, loge du concierge, toilettes, etc.)

2. Une nouvelle école va remplacer votre vieille école et vous attendez la visite de l'architecte : à deux ou à plusieurs, vous faites la liste de tout ce que vous souhaitez / désirez avoir dans la nouvelle école et vous élaborez des propositions concrètes (plan de l'école, plan d'une salle de classe).

Phase IX : Lire pour en savoir plus

Page d'écriture

Deux et deux quatre
quatre et quatre huit
huit et huit font seize...
Répétez ! dit le maître
Deux et deux quatre
quatre et quatre huit
huit et huit font seize.
Mais voilà l'oiseau-lyre
qui passe dans le ciel
l'enfant le voit
l'enfant l'entend
l'enfant l'appelle :
Sauve-moi
joue avec moi
oiseau !
Alors l'oiseau descend
et joue avec l'enfant
Deux et deux quatre...
Répétez ! dit le maître
et l'enfant joue
l'oiseau joue avec lui...
Quatre et quatre huit
huit et huit font seize
et seize et seize qu'est-ce-qu'ils font ?
Ils ne font rien seize et seize
et surtout pas trente-deux

de toute façon
et ils s'en vont.
Et l'enfant a caché l'oiseau
dans son pupitre
et tous les enfants
entendent sa chanson
et tous les enfants
entendent la musique
et huit et huit à leur tour s'en vont
et quatre et quatre et deux et deux
à leur tour fichent le camp
et un et un ne font ni une ni deux
un à un s'en vont également.
Et l'oiseau-lyre joue
et l'enfant chante
et le professeur crie :
Quand vous aurez fini de faire le pitre !
Mais tous les autres enfants
écoutent la musique
et les murs de la classe
s'écroulent tranquillement.
Et les vitres redeviennent sable
l'encre redevient eau
les pupitres redeviennent arbres
la craie redevient falaise
le porte-plume redevient oiseau.

J. PRÉVERT, in *Paroles*, © Éditions Gallimard

Phase X : Réutiliser et transposer dans la salle de classe

En quoi cette unité vous est-elle utile
1. pour communiquer dans la classe en réutilisant les structures ?
2. pour proposer des activités aux enfants sur les thèmes spécifiques de l'unité ?

Confrontez vos idées à celles de votre groupe, et / ou aux suggestions du Guide d'utilisation.

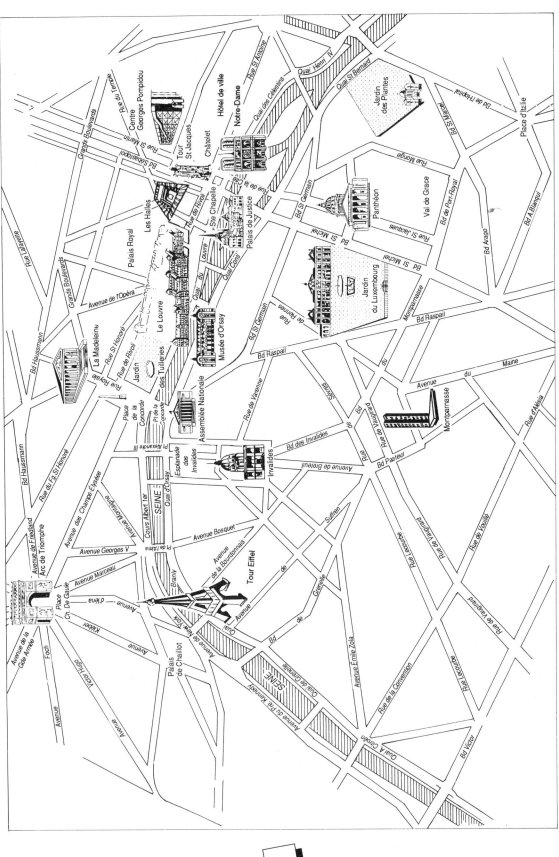

Une journée d'instit'

Unité 3

S é q u e n c e   1
Emploi du temps

- - - - - - - - - - - - - - - - - - - -

S é q u e n c e   2
Une journée typique

- - - - - - - - - - - - - - - - - - - -

S é q u e n c e   3
Le matin avant la classe

- - - - - - - - - - - - - - - - - - - -

S é q u e n c e   4
On nous demande tout !

O b j e c t i f s   s p é c i f i q u e s

– Se situer et situer ses activités dans le temps.
– Exprimer l'obligation, donner des consignes ou des ordres.
– Dire ce que l'on fait.

Faites les phases I, II et III pour chacune des séquences. Puis passez aux phases suivantes qui s'appliquent aux quatre séquences.

Phase I :   Visionner et réagir
Cf. Fiche d'activités p. 10

Phase II :   Allier l'oral et l'écrit - écouter, lire, écrire
Cf. Fiche d'activités p. 11

Phase III :   Exprimer la compréhension globale

Résumez brièvement chaque séquence, oralement ou par écrit (en français ou dans votre langue maternelle).
Confrontez votre résumé à ceux du groupe ou au résumé fourni à titre d'exemple dans le Guide d'utilisation.

Phase IV (Première partie) : Préciser l'observation et la compréhension

Des activités spécifiques sur l'oral et les relations oral-écrit sont regroupées p. 124
Elles peuvent être faites avant ou après les activités ci-dessous.

A | Séquence 1 : Emploi du temps

Répondez aux questions suivantes :

1. Est-ce que Bernard travaille le mercredi ?
2. Est-ce qu'il travaille le samedi ?
3. De quelle heure à quelle heure les enfants travaillent-ils ?
4. Combien de récréations y a-t-il et combien de temps durent-elles ?
5. Combien de temps dure la pause du déjeuner ?
6. Par semaine, combien les enfants ont-ils d'heures de français ?
   de mathématiques ?
   d'anglais ?
   de géographie ?
   d'histoire ?
   de science ?
7. Quand est-ce que les cours de maths ont lieu ?
8. Que se passe-t-il : le lundi après-midi ?
   le vendredi après-midi ?
   le samedi matin ?
9. Donnez un exemple de travail en décloisonné.
10. En quoi consiste l'initiation à la langue anglaise ?

B | Séquence 2 : Une journée typique

Complétez :

– Les horaires de Christine :

Christine se lève à ....

Elle part travailler vers ....

Elle arrive ....

Pourquoi ? ....

....

– L'emploi du temps de l'école de Christine :

Matin :

de .... à ....

arrêt de .... à .... C'est la ....

puis de .... à .... C'est l'heure du ....

Après-midi :

de .... à ....

arrêt .... à ....

L'emploi du temps est-il le même partout en France ? ☐ oui ☐ non

Justification : ....

....

Que peut faire Christine après 16h30 ?

– ....

– ....

– ....

C Séquence 3 : Le matin avant la classe

Que dit Annette ?

Annette : Je pars de chez moi .... ce qui me permet

d'arriver .... et je préfère être là plus tôt que

de risquer d'être coincée dans .... et d'arriver

très .... Ça m'est déjà arrivé, d'arriver ....

.... quoi, en partant .... et avec un

embouteillage, quoi.

Renée : Donc là vous arrivez très tôt effectivement ?

Annette : On fait quelques préparations, le café pour les collègues qui arrivent après,

et puis .... quoi. On est plusieurs à arriver

....

D Séquence 4 : On nous demande tout ! (Isabelle)

Précisez

Exemple : « On nous demande tout ! » A votre avis, qui est « on » ?
on = le gouvernement, les inspecteurs, les parents, etc. = ils

1. « On doit être spécialisé dans toutes les matières ». Est-ce le même « on » ?
   Qui est-ce ?
2. En quoi consiste le métier d'instituteur selon Isabelle Thomassin ?
3. Que pense-t-elle de sa formation ? Est-elle suffisante ?
4. Comment Isabelle trouve-t-elle son travail ?

Phase V : Comprendre et réutiliser le lexique

Constituez votre propre glossaire

Pour chacun des thèmes suivants, retrouvez le lexique utilisé dans les séquences, puis ajoutez d'autres mots possibles.

1. L'emploi du temps et les matières :

    un cours, ...

2. L'heure :

    sept heures , ...

3. Les moments de la journée :

    le matin, ...

4. Les jours de la semaine :

    lundi, ...

5. Les mois de l'année :

    janvier, ...

Notez les abréviations

Recherchez les abréviations du milieu scolaire :

1. *En France, on utilise souvent des abréviations. En voici quelques-unes que vous entendrez probablement dans une école en France. Pouvez-vous rétablir le mot usuel ?*

    Exemple : une instit' = une institutrice

    les maths ....   les sciences nat ....   la géo ....

    la gym ....   la récré ....   un prof ....

2. *Les **sigles,** ou les lettres initiales servant d'abréviation, sont aussi très fréquents :*

    Exemple : une **B.C.D.** = une bibliothèque - centre de documentation.
    Est-ce que vous vous rappelez ce que veulent dire CP, CE1, CM2 ?
    On parle beaucoup maintenant de l'EPLE ou encore EPLV ? Qu'est-ce que c'est ?
    Est-ce que ça vous concerne ?
    Beaucoup de Français, petits et grands, aiment les B.D. ? Qu'est-ce que c'est ? Et vous, ça vous plaît, les B.D. ?

3. *Les abréviations sont très souvent utilisées **dans le domaine de la grammaire** :*

Rétablissez les mots correspondant aux abréviations suivantes :

Exemples : n = nom, v = verbe

a) m, masc ....   f) adj ....

b) f, fem ....   g) adv ....

c) sing ....   h) prep ....

d) pl ....   i) pron ....

e) inv, invar. ....   j) inf ....

Prenez conscience des registres de langue

Les abréviations sont souvent le signe d'un registre familier (fam).

Beaucoup de mots ont des équivalents familiers couramment utilisés : essayez de retrouver les paires.

LANGUE COURANTE SOIGNÉE	LANGUE COURANTE FAMILIÈRE
1. amusant	a. bouquin
2. épuisant	b. boulot
3. travail	c. bouchon
4. livre	d. crevant
5. embouteillage	e. marrant

Réfléchissez sur les familles de mots

Répartissez les mots suivants dans les trois colonnes du tableau.

éducateur(trice) /initiation / organiser / inspecter / direction / enseignant(e) / initier / inspection / diriger / organisateur(trice) / enseignement / initiateur(trice) / inspecteur(trice) / éduquer /enseigner / organisation / directeur(trice) /éducation.

PERSONNE	ACTIVITÉ	VERBE CORRESPONDANT
éducateur(trice)	éducation	éduquer
....	....	....
....	....	....
....	....	....
....	....	....
....	....	....

Phase VI : Comprendre et réutiliser les structures

A Exprimer l'obligation

1. Que dit Isabelle T. (séquence 4) pour exprimer ce qu'elle est obligée de faire :

« .... être spécialisé dans toutes les matières. .... aussi bien être bon en

musique qu'en maths, qu'en sport, qu'en dessin. »
Vérifiez que vous savez conjuguer le verbe devoir au présent.
*Que trouve-t-on après **il faut** dans l'exemple ci-dessus ?*

2. Donnez 10 ordres ou consignes ou conseils à vos élèves en utilisant **devoir** ou **il faut + infinitif.**

   Exemples : Vous devez arriver à l'heure !
              Il ne faut pas arriver en retard !

3. Connaissez-vous d'autres façons de donner des ordres ou des consignes à vos élèves ? Lesquelles ?

   Exemple : Arrivez à l'heure !

B Savoir employer le verbe « faire » et réviser les articles

1. Bernard dit « **nous faisons** tous les jours des mathématiques... »
   *Le verbe **faire** est un verbe très important que l'on retrouve dans beaucoup d'expressions idiomatiques. Vérifiez que vous savez le conjuguer correctement au présent.*

2. Voici une liste d' expressions idiomatiques contenant le verbe faire : repérer les diverses constructions possibles.

   faire son travail
   faire du français/ de la géographie/ de l'histoire/ des maths
   faire des/ses préparations
   faire des/ses corrections

   FAIRE + INFINITIF :
   faire lire les enfants   faire faire des maths à un enfant
   faire réviser une leçon   faire faire ses devoirs à un enfant
   faire chanter les enfants
   faire chanter une chanson

   Voir aussi la phase VIII et l'unité 5 (Loisirs).

3. *Complétez :*

a) – Nous .... tous les jours .... mathématiques, 6 heures dans la semaine.

Tous les jours également les enfants .... français, 10 heures environ, sous dif-

férentes formes : .... conjugaison, ... grammaire, ... expression

écrite et .... lecture ; .... orthographe pour .... français et .... traditionnelle

dictée du samedi matin.

– On .... également .... langue étrangère. Et vous, est-ce que vous ....

français ?

– Les enseignants .... souvent .... préparations le soir pour le lendemain.

.... corrections aussi prennent beaucoup de temps, malheureusement. Quand

les enfants .... dictée le samedi matin, il faut la corriger plus tard.

b) Vous demandez aux enfants de lire ?   Oui, je les ....

Vous leur demandez de faire des maths ? Oui, je leur .... des maths.

On vous demande tout ?   Oui , on nous .... tout !

on nous .... tout .... !

4. *Observez les emplois du verbe « faire » dans les expressions suivantes et retrouvez*
   les expressions équivalentes.

Exemple : Ça ne fait rien ! = C'est sans importance

Ça fait du bien !   Le tout s'élève à combien ?
Ça fait mal !   C'est agréable !
Il fait jour/ nuit.   Le soleil brille.
Il fait beau.   Le soleil est levé/couché.
Ça me fait une heure de trajet.   C'est douloureux !
Ça fait combien en tout ?   Je mets une heure pour venir.

C Savoir parler des moments de votre semaine

1. *Observez :*

a) L'heure
Une récréation **de** 10 h **à** 10 h 20.
La journée débute **à** huit heures trente et se termine **à** seize heures.
À partir de 10 heures **jusqu'à** 11 heures et demie.
Les enfants restent en classe **jusqu'à 16 h**.
Je me lève **à** sept heures.
Je pars travailler **vers** 8 heures.
Une collègue vient **environ** trois quarts d'heure.

b) La fréquence

Une collègue vient **une fois par semaine**.
La géographie, **une heure par semaine** (...)
Nous faisons **tous les jours** des mathématiques.
Le lundi après-midi est consacré aux activités physiques et artistiques.
À la fin de la semaine, le vendredi après-midi, les enfants (...)

Toutes les expressions ci-dessus expriment des actions habituelles, périodiques.

c) La simultanéité

Ils travaillent en conjugaison avec ma collègue ; **pendant ce temps-là,** je me rends dans l'autre classe (...)
Je fais des maths dans la classe d'Isabelle **pendant qu'**elle vient faire du français dans ma classe (...)

2. À vous maintenant : complétez.

Nous avons 27 heures de cours .... semaine.

Nous avons cours .... lundi, ... mardi, ... jeudi, ... vendredi et .... samedi matin ; nous n'avons pas cours .... mercredi.

Les enfants entrent à l'école .... 8 heures et demie, sont en classe .... 11 heures et demie et ensuite ont deux heures pour déjeuner.

.... après-midi, les enfants rentrent en classe .... 13 heures 30 et restent .... 16 heures 30.

Il y a deux récréations, ... matin, ... 10 heures 10 .... 10 heures 30, et .... après-midi .... 15 heures 10 .... 15 heures 30.

Tous .... jours, nous faisons du français et des mathématiques.

J'enseigne l'anglais dans une classe de CM2 .... lundi en fin de matinée .... mon collègue enseigne l'histoire dans ma classe. Dans ma propre classe, je fais de l'anglais d'une façon plus fractionnée trois demi-heures .... semaine .

D Noter ou réviser, au passage, d'autres points de grammaire

1. Les pronoms relatifs (voir Unités 1 et 2)

Pour vérifier que vous comprenez l'emploi du pronom relatif, reformulez les phrases suivantes en supprimant le relatif.

Exemple : On fait le café pour les collègues qui arrivent après.
        On fait le café pour les collègues.
        Les collègues arrivent après.
On nous demande de comprendre des langues auxquelles nous ne connaissons rien.
On nous demande des tas de choses pour lesquelles nous ne sommes pas formés.

2. Les verbes pronominaux

Vérifiez que vous comprenez l'emploi des verbes pronominaux et que vous savez les conjuguer :Exemples de verbes pronominaux :

SE LEVER	SE DÉTENDRE	NE PAS SE SOUVENIR
je me lève	**je me** détends	**je** ne **me** souviens pas
tu te lèves	**tu te** détends	**tu** ne **te** souviens pas
il/elle/on se lève	**il/elle/on se** détend	**il/elle/on** ne **se** souvient pas
nous nous levons	**nous nous** détendons	**nous** ne **nous** souvenons pas
vous vous levez	**vous vous** détendez	**vous** ne **vous** souvenez pas
ils/elles se lèvent	**ils/elles se** détendent	**ils/elles** ne **se** souviennent pas

a) verbes réfléchis :
    je me réveille, je me lève, je me lave, je me prépare, je m'habille

b) verbes réciproques :
    ils se connaissent, ils se disputent, elles s'écrivent

c) verbes où le pronom n'a pas de fonction grammaticale précise :
    s'abstenir, s'enfuir, se souvenir, se taire

* Voir aussi l'unité 9 : les verbes pronominaux à sens passif.

Phase VII : Réévoquer

Cf. Fiche d'activités p. 12

Phase VIII : S'exprimer librement

A Votre expérience personnelle, votre point de vue

1. Votre emploi du temps

Voici une série d'actions typiques de la vie quotidienne d'un instituteur ou d'une institutrice. Lesquelles correspondent-elles à ce que vous faites vous-même ?

Pouvez-vous préciser l'heure à laquelle (ou de quelle heure à quelle heure) vous vous livrez à vos diverses activités ?

je me réveille
je me lève
je fais ma toilette / je me lave / je prends une douche ou un bain
je m'habille
je déjeune / je prends le petit déjeuner
je pars travailler / je vais ou je me rends à l'école (à pied, en voiture, en bus)
j'accueille les enfants
j'enseigne / je fais des maths, de l'anglais etc...
je surveille la récréation / je me repose pendant la récréation
je mange à la cantine / dans la salle des maîtres / chez moi
je reprends la classe l'après-midi
je rentre chez moi
je fais des courses au supermarché / à l'épicerie
je vais acheter du pain à la boulangerie / de la viande à la boucherie
je fais du thé / du café; je bois une tasse de thé /de café
je fais la cuisine / je prépare le repas
je fais la vaisselle / j'essuie la vaisselle
je me repose
j'entreprends d'autres activités personnelles
je lis le journal / un roman
je regarde la télévision (le journal télévisé / un feuilleton / une dramatique / un film / un documentaire, etc.)
j'écoute la radio / de la musique / des disques
je sors (seul(e) ou avec des ami(e)s)
je vais au cinéma / au théâtre
je fais mes corrections / je corrige les devoirs de mes élèves
je fais quelques préparations pour le lendemain
je vais me coucher
je m'endors

Donnez le plus de détails possibles.

2. Le métier d'instituteur : un métier épuisant ?

Êtes-vous d'accord avec Isabelle ? Voyez-vous d'autres obligations ?

3. L'institutrice : triple carrière (institutrice + ménagère + mère de famille) ?

L'instituteur a-t-il moins de travail ?

Un article du *Nouvel Observateur* (2-8 janvier 92) dit que, en France « en vingt ans, l'emploi du temps domestique des femmes ne s'est raccourci que de quelques minutes par jour », c'est-à-dire que les femmes continuent à faire la majorité du travail à la maison (cuisine, vaisselle, nettoyage, etc.)

Est-ce vrai dans le cas de votre expérience personnelle ? La situation dans votre pays, ou dans d'autres pays que vous connaissez, est-elle meilleure pour les femmes ?

B **Jeux de rôle**

À deux, choisissez une situation et imaginez la conversation entre les personnages.

1. Vous arrivez en France pour un stage dans une école élémentaire. Vous êtes hébergé(e) par un(e) enseignant(e) qui est curieux (curieuse) de savoir comment les choses se passent chez vous, et vous souhaitez vous-même avoir le maximum d'informations sur la vie et le travail d'un enseignant en France.

2. Un couple d'instituteurs français traditionnels : la femme fait tout, le mari ne fait presque rien à la maison.

3. Un(e) enseignant(e) épuisé(e) va trouver son (sa) directeur (directrice) pour expliquer qu'il (elle) ne peut plus continuer comme ça...

4. Un(e) enseignant(e) en faveur du travail en décloisonné, du travail d'équipe suggère à un(e) collègue de travailler plus souvent en décloisonné, comme dans l'école de Bernard (possibilité de se spécialiser dans une matière).
   Ensuite, ils(elles) vont voir le directeur (la directrice) qui est assez traditionnel(le).

5. Un(e) enseignant(e) rencontre à une soirée quelqu'un qui travaille dans le commerce, et qui pense que les instituteurs ont beaucoup de chance : ils ont des journées très courtes, et beaucoup de vacances !

Phase IX : Lire pour en savoir plus

Règlement de la classe des grands de l'école primaire des Granges-Gontardes (établi par les élèves le 11/09/1990)

I. ENTRÉES ET SORTIES DE CLASSE

art. 1   Les élèves doivent se mettre en rang devant la classe.

art. 2   Les élèves doivent sortir en récréation au moment où le maître le demande, sauf s'ils ont l'autorisation de rester pour finir un travail.

II. BRUIT ET DISCIPLINE EN CLASSE

art. 3   Dès qu'ils sont entrés en classe, les élèves doivent cesser de bavarder et gagner leur place sans courir et sans se bousculer.

art. 4   Pendant la classe on doit éviter le plus possible de déranger les autres en faisant du bruit ; si je parle à mon voisin, je dois MURMURER. Je ne dois pas non plus siffler, ou chanter (sauf en musique), ou traîner les pieds par terre, ou les taper par terre...

art. 5   J'évite toujours d'être dissipé, pour pouvoir écouter le maître ou un camarade qui parle ; surtout si le maître sort de la classe, je n'en profite pas pour faire le fou.

art. 6   Il est interdit de se battre, même dans la cour, de cracher dans l'école, de fouiller dans les affaires des autres, ou de casser leurs affaires, de prendre les jeux des petits pendant la récréation, de toucher au Minitel, de manger du chewing-gum en classe et de recopier ce que fait son voisin, de se mettre torse nu ou de garder son manteau en classe.

III. POLITESSE ET ÉCOUTE EN CLASSE

art. 7   Je suis en classe d'abord pour écouter ce qui s'y passe : je ne parle pas avec mon voisin quand le maître explique quelque chose.

art. 8   De toute façon, je ne parle jamais trop fort, je ne coupe pas la parole à un camarade qui a commencé à parler et je lève mon doigt pour être interrogé.

IV. SOIN DU TRAVAIL ET RANGEMENT DANS LA CLASSE

art. 9   Si je prends quelque chose dans la classe (colle, feutres, peintures, ciseaux, crayons de couleur, compas...), je le range à sa place lorsque j'ai terminé.

art. 10   Je pense à jeter mes papiers dans la poubelle spéciale « papiers ».

art. 11   Tous les élèves doivent participer au « Service » de la classe et effectuer un travail à tour de rôle.

art. 12   Sur mes cahiers, j'évite de faire des ratures, ou de coller n'importe quoi ou n'importe comment. La colle ne se met pas en gros pâtés, mais par petites doses aux quatre coins et au centre de la feuille à coller.

art. 13   Je ne dois pas laisser traîner mon cartable au milieu de la rangée mais penser à le ranger sous mon siège.

Tout manquement au règlement peut être puni !

Phase X : Réutiliser et transposer dans la salle de classe

En quoi cette unité vous est-elle utile
1. pour communiquer en français dans la classe en réutilisant les structures ?
2. pour proposer des activités aux enfants sur les thèmes spécifiques de l'unité ?

Confrontez vos idées à celles de votre groupe, et / ou aux suggestions du Guide d'utilisation.

Les repas à l'école

Séquence 1
La cantine scolaire, un repas typique

- - - - - - - - - - - - - - - - - -

Séquence 2
Est-ce que vous mangez à la cantine ?

- - - - - - - - - - - - - - - - - -

Séquence 3
Goûts et préférences

Unité 4

Objectifs spécifiques

– Exprimer ses goûts et ses préférences.
– Exprimer la quantité.
– Généraliser, énumérer.
– Donner des raisons.
– Désigner, mettre en valeur.

Faites les phases I, II et III pour chacune des séquences. Puis passez aux phases suivantes qui s'appliquent aux deux séquences.

Phase I : Visionner et réagir

Cf. Fiche d'activités p. 10

Phase II : Allier l'oral et l'écrit – écouter, lire, écrire

Cf. Fiche d'activités p. 11

Phase III : Exprimer la compréhension globale

Résumez brièvement chaque séquence, oralement ou par écrit (en français ou dans votre langue maternelle).
Confrontez votre résumé à ceux du groupe, ou au résumé fourni à titre d'exemple dans le Guide d'utilisation.

PHASE IV (Première partie) : Préciser l'observation et la compréhension

Des activités spécifiques sur l'oral et les relations oral-écrit sont regroupées p. 124
Elles peuvent être faites avant ou après les activités ci-dessous.

Séquence 1 : La cantine scolaire : un repas typique

1. *Écoutez ce que disent Isabelle S. et Christine, et complétez les divers éléments du menu de la cantine:*

   a) carottes ....

   b) poisson ....

   c) steak ....

   d) viandes ....

   e) fromage ....

2. *Quelles sont les deux façons de servir les pommes de terre mentionnées par Christine et Isabelle ?*

Séquence 2 : Est-ce que vous mangez à la cantine ?

Résumez ce que font les enseignants interviewés pendant la pause de midi :

Exemple : Christine déjeune avec ses collègues dans la salle des maîtres, ne surveille pas la cantine.

Béatrice : ....

Farida : ....

Isabelle P. : ....

Pierre : ....

Isabelle T. : ....

Alexandro : ....

Faites maintenant un résumé de la séquence en indiquant les préférences des instituteurs, et leurs raisons.

Utilisez les expressions suivantes :
la plupart des instituteurs interviewés ; en général... ; dans certains cas...

Séquence 3 : Goûts et préférences

Remplissez la grille ci-dessous :

	PLAT(S) PRÉFÉRÉ(S)	PLAT(S) DÉTESTÉ(S)
Pierre	la tarte au fromage	
Alexandro		
Isabelle T.		
Michel		
Jean-Luc		
Josiane		
Annette		

Phase V : Comprendre et réutiliser le lexique

Constituez votre propre glossaire

Pour chacun des thèmes suivants, retrouvez le lexique utilisé dans les trois séquences puis ajoutez d'autres mots possibles.

1. Les repas à l'école :

   un menu typique, ...

   ....

2. Les aliments en général :

   les légumes, ...

   ....

3. La surveillance de la cantine :

   je surveille la cantine, ...

   ....

4. L'expression des goûts et des préférences :

   j'aime bien, ...

   ....

Classez les expressions

Répartissez les expressions suivantes selon leur fonction : d'abord, enfin, par contre, et puis, en général, ensuite, dans l'ensemble, sauf, finalement.

GÉNÉRALISATION	ÉNUMÉRATION	OPPOSITION	EXCEPTION
	d'abord		

Phase VI : Comprendre et réutiliser les structures

 Exprimer la quantité

1. *Rétablissez l'article et justifiez vos réponses :*

   a) Les enfants adorent .... carottes râpées, ... coquillettes, ... poisson « carré » (...) ils préfèrent .... banane.

   b) Un repas typique à la cantine, c'est .... purée, ... jambon, ... viandes en sauce.

2. *Autres façons d'exprimer la quantité : les quantitatifs.*
   Que disent les enseignants ?
   Complétez les phrases et essayez de classer les diverses expressions selon leur forme.

   Christine : Il y a .... préparations sophistiquées,

   comme dessert, ... yaourts et .... fruits.

   Béatrice : Je mange à la cantine .... régulièrement ; sauf vraiment quand j'ai .... travail personnel, je me fais un sandwich.

   Pierre : Je ne mange pas à la cantine pour .... raisons... pour faire .... travaux de façon à être .... disponible.

   Isabelle P : Je mange à la cantine .... jours.

   Isabelle T : Même manger dans la salle des maîtres, c'est .... fatigant. Je coupe complètement la journée en deux, et c'est .... facile de travailler dans ces conditions l'après-midi.

Josiane : J'ai des goûts .... méridionaux... j'aime .... la cuisine en général, j'aime .... manger. Je n'aime pas .... fromage en fin de
repas, par contre, j'aime .... les plats au fromage.

Annette : Je mange .... viande, et j'aime .... le chocolat aussi.
Je déteste la viande rouge .... cuite et j'apprécie fort peu les épinards.

3. *Comparez et contrastez : comment expliquez-vous la différence ?*

a) Josiane n'aime pas **le** fromage en fin de repas.
   Annette apprécie peu **les** épinards.
   J'aime beaucoup **le** chocolat.
b) Josiane ne mange pas **de** fromage en fin de repas.
   Elle apprécie peu **de** choses.
   Il faut beaucoup **de** chocolat pour faire ce gâteau.

4. *Josiane aime les plats **au** fromage : connaissez-vous d'autres noms de plats ou recettes sur le même modèle ?*
   Exemple : une glace **au** chocolat et **à** la fraise

5. *Vérifiez vos connaissances : remarquez en particulier les divers emplois de « beaucoup ».*

En France, au petit déjeuner, ... enfants boivent souvent .... chocolat. Ils mangent .... tartines de pain avec .... beurre et .... confiture et ils mangent aussi quelquefois .... céréales comme en Grande-Bretagne ou en Allemagne,
mais ils ne mangent pas .... œuf ou .... bacon. A midi, ils mangent souvent
.... cantine. Ils préfèrent .... pâtes et .... frites. Ils n'aiment pas beaucoup
.... légumes comme .... chou ou .... épinards. Par contre ils adorent
.... desserts.

J'ai .... amie qui est institutrice. Elle a beaucoup .... travail, et elle achète souvent .... surgelés, et pourtant elle préfère de beaucoup .... légumes frais. Elle
mange un peu trop .... chocolats. Par contre elle mange beaucoup .... fruits.
Elle aime particulièrement .... abricots, la tarte .... abricots.

 Donner des raisons

1. *Quelles sont les expressions utilisées par les enseignants pour expliquer pourquoi ils surveillent ou au contraire ne surveillent pas la cantine :*

Farida : En général, nous le faisons .... arrondir nos fins de mois, ... nous
sommes payés en supplément.

Pierre : Je ne mange pas à la cantine .... plusieurs raisons : d'abord .... pouvoir profiter du temps que j'ai dans l'interclasse .... faire certains travaux, et puis .... avoir un moment de calme en dehors des enfants, ... être plus disponible pour eux, après.

Isabelle P : Je mange à la cantine tous les jours .... ne pas avoir à préparer le repas le soir.

Alexandro : Je le fais plus .... obligation que .... goût.

2. *Et vous ? Quelle est votre position en ce qui concerne la surveillance de la cantine ? Réutilisez au maximum les expressions données ci-dessus.*

C Désigner, mettre en valeur

Exemples : J'aime tout **ce qui** est bien cuisiné.
Ce que j'aime, **ce que** je préfère, c'est le poulet...
Un menu typique, **celui qu'**ils préfèrent, c'est...

*Comment expliquez-vous la différence entre **ce qui/ ce que**, et **celui qui/ que**... ? Connaissez-vous le féminin et le pluriel de **celui qui/que** ?*

Complétez les phrases suivantes :

Ils adorent .... ils appellent le steak haché.

Ils aiment tout .... est dessert.

Ils aiment les fruits : .... ils préfèrent sont les bananes et les pommes.

J'aime la pizza : .... je préfère, c'est la pizza des 4 saisons.

.... je déteste, c'est la cervelle.

Beaucoup d'enfants mangent à la cantine ; .... habitent près de l'école rentrent chez eux.

Ils mangent beaucoup de pâtes : .... ils achètent le plus souvent sont les coquillettes.

Phase VII : Réévoquer

Cf. Fiche d'activités p. 12

Phase VIII : S'exprimer librement

A Discussion à deux ou en groupe / exposé

1. Vos goûts et préférences en matière de nourriture : quel est votre plat favori ? Êtes-vous difficile ?

2. Où prenez-vous vos repas à midi ? A la cantine ? chez vous ? Est-ce que vous surveillez la cantine ? Donnez vos raisons.

3. Décrivez un menu typique à la cantine de votre école. Quelles sont les préférences des enfants ? Êtes-vous pour ou contre les self-services ?

4. Vous expliquez le fonctionnement de votre cantine scolaire à des collègues français : la nourriture est-elle préparée sur place ou préparée ailleurs et apportée dans des caissons ? Combien d'enfants mangent-ils à la cantine de votre école en général ? Quel est le prix des repas ?

5. Les habitudes alimentaires dans votre pays. Vos compatriotes apprécient-ils la bonne cuisine ? Est-ce qu'ils se préoccupent de leur santé ? Comment cela se traduit-il ?

6. Noël dans votre pays et en France : comparez les traditions culinaires des deux pays.

7. Faites un sondage dans votre groupe pour déterminer l'aliment / le plat préféré de tous.

8. Donnez une recette de cuisine : les autres doivent deviner le nom du plat.

B Jeux de rôle

1. Un(e) adolescent(e) végétarien(ne) discute avec sa mère / son père qui pense que la viande et le poisson sont essentiels pour être en bonne santé.

2. Une diététicienne rencontre un groupe de parents d'élèves. Selon elle, les enfants mangent mal, et les parents sont responsables. Les instituteurs doivent également éduquer les enfants.

3. La cantine scolaire est peu fréquentée : les enfants préfèrent acheter des bonbons ou des chips à l'épicerie du coin. La directrice, quelques instituteurs, quelques parents d'élèves et des représentants des élèves essaient de trouver une solution au problème.

4. Faut-il « manger pour vivre ou vivre pour manger ? » Un ascète et un bon vivant essaient de se convaincre mutuellement.

Phase IX : Lire pour en savoir plus

Reims, Mecque des restaurants d'enfants

Les cantines scolaires se transforment, elles deviennent non seulement des restaurants d'enfants mais des restaurants « éducatifs ».

Ainsi, en huit ans, de 1985 à 1993, la ville de Reims a dépensé 20 millions de francs pour rénover ou reconstruire ses soixante-quatre restaurants d'enfants au rythme de quatre ou cinq par an.

Première étape : les services techniques municipaux chiffrent le montant des travaux à réaliser.
Deuxième étape : on réunit l'inspecteur départemental de l'éducation, le directeur de l'école, les instituteurs et les parents des élèves. Chacun met son grain de sel dans le choix du décor, du mobilier, des couleurs, des plantes, des rideaux. Ainsi chaque salle à manger possède sa propre personnalité.

Troisième étape : la composition des repas, plus équilibrée et plus soignée. L'économe de la cuisine centrale de Reims, qui a suivi des stages d'hygiène alimentaire à Lille et à Paris, ne choisit pas la facilité : « J'essaie de faire découvrir aux enfants de nouveaux aliments. J'alterne entre ce qu'ils aiment et qu'ils n'aiment pas. » Ainsi les endives, les choux fleurs, les abats figurent au menu.
« À force d'en manger, c'est comme le lieu noir ou le camembert, on finit par trouver ça bon » dit une gamine de huit ans qui a découvert les litchies à la cantine. « C'est bon, dit-elle, gourmande, « ça ressemble à la fraise ».

Cette curiosité gustative est stimulée par la présence d'animateurs qui sont à 70 % des instituteurs. Ils tournent dans la cantine et changent de table à chaque repas, encouragent les appétits difficiles. « Si on ne les avait pas obligés à goûter du saumon fumé à Noël, ils l'auraient laissé dans leur assiette » constate l'un des animateurs. « Nous insistons aussi sur les bonnes manières qui ont tendance à se perdre en collectivité ».

Au fil des années, la ville a mis en place d'autres innovations qui lui donnent une longueur d'avance.
Tous les vendredis, afin d'éviter les traditionnels : « on en a mangé à la cantine », les parents reçoivent le menu de la semaine, illustré par des dessins d'enfants.
Plus exceptionnelles, les brosses à dents nominatives utilisées après chaque repas !
L'adjointe au maire de Reims, responsable de toutes ces initiatives et de cette belle réussite donne sa recette : « J'ai simplement réagi en mère de famille en me demandant ce que j'aurais souhaité pour mes propres enfants ».

D'après *Le Monde de l'Éducation,* février 1992.

* Le Comité français d'éducation pour la santé, 2, rue Auguste Comte, 92170 Vanves, envoie sur demande brochures et affiches sur la nutrition.

Phase X : Réutiliser et transposer dans la salle de classe

En quoi cette unité vous est-elle utile
1. pour communiquer dans la classe en réutilisant les structures ?
2. pour proposer des activités aux enfants sur les thèmes spécifiques de l'unité ?

Confrontez vos idées à celles de votre groupe, et/ ou aux suggestions du Guide d'utilisation.

Les loisirs

Séquence 1
Quels sont vos loisirs ?

- - - - - - - - - - - - - - - - -

Séquence 2
Les loisirs préférés

Objectifs spécifiques

– Parler de ses loisirs.
– Réviser des notions ou des points de grammaire déjà étudiés : notions d'espace et de temps, goûts et préférences, prépositions.

Faites les phases I, II et III pour chacune des séquences, puis passez aux phases suivantes qui s'appliquent aux deux séquences.

Phase I : Visionner et réagir
Cf. Fiche d'activités p. 10

Phase II : Allier l'oral et l'écrit – écouter, lire, écrire
Cf. Fiche d'activités p. 11

Phase III : Exprimer la compréhension globale

Résumez brièvement chaque séquence, oralement ou par écrit (en français ou dans votre langue maternelle).
Confrontez votre résumé à ceux du groupe ou au résumé fourni à titre d'exemple dans le Guide d'utilisation.

Phase IV (Première partie):   Préciser l'observation et la compréhension

Des activités spécifiques sur l'oral et les relations oral-écrit sont regroupées p.
Elles peuvent être faites avant ou après les activités ci-dessous.

 Activités citées dans les deux séquences

> *Faites la liste de toutes les activités citées dans les deux séquences, puis comparez
> votre liste avec celle qui est donnée dans l'exercice suivant.*

 Qui fait quoi ?

> *1. Cochez les cases correspondant aux activités mentionnées par les enseignants*

	Christine	Josiane	Bernard	Béatrice	Michel	Isab.P	Isab.S	Farida	Alain
lecture									
échecs									
cinéma									
théâtre									
télévision									
musique									
danse									
ski									
natation									
plongée									
escalade									
spéléo									
marche									
vélo									
tennis									
activités manuelles									
poterie									
voyages									

2. D'après le tableau, faites un résumé des activités des enseignants interviewés. Vous pouvez utiliser les expressions suivantes :

D'après les réponses données, un enseignant seulement…
Deux enseignants sur neuf…
Les activités le plus souvent pratiquées sont…
Un tiers font…
Ce sont les enseignants de la vallée du Rhône qui…
Personne ne mentionne…
Par contre…

C Les activités des enseignants

Répondez aux questions suivantes : de mémoire d'abord, puis en réécoutant l'extrait si nécessaire.

1. D'après Christine, quel est l'avantage du métier d'enseignant ?

2. Quels sont les avantages de la région où habite Josiane ?

3. Quelle activité est « un peu plus intellectuelle » selon Bernard ?

4. Pourquoi Béatrice a-t-elle peu de loisirs personnels ?

5. Quel genre d'activités Michel préfère-t-il ?

6. Qu'est-ce qu'Isabelle P. trouve difficile ?

7. Combien de types de danse Isabelle S. pratique-t-elle ?

8. Quel genre de films Farida préfère-t-elle ?

9. Depuis combien de temps Alain fait-il du vélo ?

10. Alain recherche le dépaysement : à quoi le voit-on ?

Phase V : Comprendre et réutiliser le lexique

A Constituez votre propre glossaire

Pour chacun des thèmes, retrouvez le lexique utilisé dans les séquences, puis ajoutez d'autres mots possibles :

1. Les sports :

   l'aérobic, ...

2. La musique et la danse :

   les claquettes, ...

3. Le cinéma, le théâtre et la télévision :

   un film (en version originale), ...

4. La poterie, la peinture, la sculpture :

   peindre, ...

5. Autres activités :

   la lecture, ...

B Expressions idiomatiques

1. Regardez à nouveau la séquence 2 et relevez toutes les expressions utilisées par Alain pour exprimer ce qu'il aime faire ou a l'intention de faire.
Exemple : j'aime bien (+ infinitif)

....

....

2. Relevez toutes les expressions du type : faire + de + Nom
Exemple : faire de la danse

....

....

3. Relevez toutes les expressions du type : avoir + Nom
Faites une phrase avec chacune d'elle

Exemple : avoir la chance de → J'ai la chance d'habiter près de l'école.

....

....

C Mots identiques

Attention aux mots qui semblent identiques ! Quelle est la différence entre les mots soulignés ?

Exemple : je <u>suis</u> instituteur   → verbe être
          je <u>suis</u> des cours   → verbe suivre

a) être <u>l'étranger</u>   ....

   aller à <u>l'étranger</u>   ....

b) <u>un cadre</u> naturel   ....

   <u>un cadre</u> dans une entreprise   ....

c) <u>faire une partie</u> d'échecs   ....

   <u>faire partie</u> d'un club d'échecs   ....

Phase VI : Comprendre et réutiliser les structures

A Les prépositions

1. Pour situer dans l'espace et dans le temps

Complétez les phrases suivantes avec les prépositions et / ou les articles qui conviennent.

Josiane habite .... Livron, ... Sud-Est .... France, ... une heure et demie .... Marseille. Elle va donc souvent .... mer .... été. Par contre, ... hiver, elle va faire du ski .... Alpes. Il y a de nombreuses stations de ski .... une distance raisonnable .... elle, ... Grenoble par exemple. Comme Michel, elle aime les promenades .... montagne .... dimanche ou .... vacances.

2. Dans les constructions verbales

Ajoutez la préposition de (ou d') dans les phrases où elle est nécessaire :

a) Farida aime .... aller au cinéma.

b) Béatrice est obligée .... travailler à la maison.

c) Bernard adore .... jouer aux échecs.

d) Alain a l'occasion .... aller à l'étranger cet été.

e) Isabelle voudrait .... avoir plus de temps pour faire de la poterie.

f) Farida essaie .... voyager chaque fois qu'elle a des vacances.

B La construction en + participe présent

1. Pour indiquer un lien de cause à effet

Exemple : « j'essaie de m'entretenir en faisant un peu de tennis »

Transformez les phrases suivantes en utilisant en + participe présent

a) Pour apprendre le français, je suis des cours le soir. ....

b) Pour me reposer, j'écoute de la musique. ....

c) Pour profiter des beaux jours, Josiane fait du vélo. ....

d) Pour s'oxygéner, Alain se promène dans la nature. ....

e) Pour gagner plus d'argent, elle surveille la cantine. ....

2. Pour exprimer la simultanéité

Il est important de remarquer que la construction en + participe présent est souvent utilisée pour exprimer simplement la simultanéité, sans lien de cause à effet :

Je tricote quand je regarde la télévision. = Je tricote en regardant la télévision.

Transformez les phrases suivantes sur le même modèle :

a) J'écoute la radio quand je conduis. ....

b) Elle s'arrête à Paris quand elle va chez ses parents. ....

c) Nous faisons nos courses quand nous rentrons le soir. ....

d) Attention de ne pas tomber quand vous faites de l'escalade. ....

e) Ne parlez pas quand vous mangez. ....

Phase VII : Réévoquer

Cf. Fiche d'activités p. 12

Phase VIII : S'exprimer librement

Votre point de vue personnel

1. Quels sont vos loisirs préférés ? Répondez à la question posée aux instituteurs français.

2. Les instituteurs français ont-ils plus de loisirs que vous ? Qui semble avoir le plus de chance ? Avec qui est-ce que vous vous identifiez le plus ? Qui avez-vous le plus envie de rencontrer ? Donnez vos raisons.

3. Quels sont les loisirs préférés de vos élèves? Essayez de les classer par ordre de préférence: ils aiment bien... / ils adorent... / ce qu'ils préfèrent, c'est... Êtes-vous tous d'accord ?

4. A deux ou trois, faites un exposé où vous présentez toutes les activités de loisirs possibles à partir de la ville où vous habitez. Donnez le plus de détails possibles (saison, distance en kilomètres ou en heures, etc.).

Jeux de rôle

1. À deux, imaginez une conversation possible entre deux des enseignants que vous venez de voir sur le document vidéo.

2. Les enseignants de Paris et de Montélimar viennent dans votre région. Votre école doit les accueillir et a la responsabilité d'organiser un programme d'activités tenant compte des goûts de chacun : une réunion a lieu pour établir le programme.

3. Vos élèves semblent passer tout leur temps devant un poste de télévision : les parents d'élèves organisent une réunion avec le directeur (la directrice) / quelques instituteurs / des élèves /

des animateurs pour discuter de la possibilité de mettre en place à l'école des clubs ou des ateliers permettant aux enfants d'avoir d'autres activités. Quelles sont les possibilités ? / À quelle heure ? / Qui va être responsable ?

4. Les services responsables de l'éducation dans votre région décident de consacrer une somme d'argent très importante (!) à l'établissement d'un centre de loisirs où les instituteurs pourront amener leurs élèves quinze jours chaque année. Une réunion est organisée pour consulter les enseignants, les parents, et les élèves. Il s'agit de soumettre des propositions concrètes quant à l'emplacement, aux activités possibles, etc.

Phase IX : Lire pour en savoir plus

Le sport à l'école : le rugby, toute une éducation !

Les associations sportives multiplient leurs efforts pour promouvoir le rugby auprès des enfants et un gros effort est actuellement mené par la F.F.R. avec la collaboration de l'USEP pour développer le rugby au niveau de l'enseignement primaire.

Ce matin, à Pontoise, il fait très frais mais le soleil brille pour la rencontre de rugby qui réunit deux mille élèves du CP au CM2.

Cette journée, organisée par l'Union Sportive de l'enseignement du premier degré avec la participation de la Fédération française de rugby, couronne les séances d'initiation au rugby menées dans vingt trois écoles du Val d'Oise.

Les trois stades mis à la disposition des équipes ont été divisés en mini-terrains dont les dimensions varient en fonction de l'âge des enfants.

Ici, pas de poteau : on joue au « rugby éducatif », une version simplifiée du rugby adulte adaptée aux capacités et à la morphologie des enfants.

Les matches durent huit minutes. Ils opposent deux équipes constituées de huit joueurs chacune. Il n'y a pas de mêlée, pas de touche. Le score ne comprend que les essais, qui consistent à porter le ballon au-delà des lignes adverses.

« Le rugby est un jeu d'engagement physique et de contact. Certains enfants craignent ce contact, cherchent à l'éviter ; il faut dédramatiser et les inciter à aller à la rencontre de l'autre », explique un instituteur de CM2.

Au bord du terrain, une jeune institutrice observe ses élèves aux prises avec un autre CE1.

« Avance, avance ! » crie-t-elle en direction d'un petit blond joufflu. Une petite fille vient de s'emparer du ballon, puis fonce, nattes au vent, tombe et marque l'essai. Sourire radieux ! L'arbitre remet la balle en jeu.

Amener les enfants à prendre des initiatives, à dominer leurs craintes, à vaincre leur timidité : c'est l'un des aspects formateurs du jeu.

Il y a aussi des enfants trop individualistes qui s'emparent du ballon et qui le gardent : il faut qu'il apprennent à faire des passes, à jouer avec les autres.

La pratique du rugby a un retentissement sur le comportement des enfants dans la classe : le travail en groupe semble en être facilité.

Les élèves apprennent à mieux se connaître, à se respecter ; l'agressivité a diminué.

Le rugby permet un grand défoulement physique. Il impose moins de restrictions que d'autres disciplines puisqu'on peut toucher, et même rudement, l'adversaire et se servir du pied ou de la main.

Mais s'il autorise une décharge d'agressivité, c'est dans des limites strictes, et toute brutalité est sanctionnée.

Lorsqu'ils commencent ce sport, les enfants donnent des coups de poing et de pied, ils n'hésitent pas à griffer, à mordre (pour les tout-petits !), à tirer les cheveux ; et puis petit à petit, ils apprennent à respecter les règles.

De tous les sports collectifs, le rugby est sans doute celui qui exige le plus de solidarité entre équipiers, en favorisant ce mélange de défoulement et de maîtrise de soi !

D'après *Le Monde de l'Éducation*, avril 1991.

FFR : Fédération française de rugby
USEP : L'union sportive de l'enseignement du premier degré est la fédération des écoles maternelles et élémentaires. Elle regroupe près de 800 000 enfants licenciés, dans 13 000 associations, elles-mêmes animées par plus de 60 000 bénévoles.

Phase X : Réutiliser et transposer dans la salle de classe

En quoi cette unité vous est-elle utile
1. pour communiquer en français dans la salle de classe en réutilisant les structures ?
2. pour proposer des activités aux enfants sur les thèmes spécifiques de l'unité ?

Confrontez vos idées à celles de votre groupe, et / ou aux suggestions du Guide d'utilisation.

À la ville ou à la campagne ?

Séquence 1
Vivre à la ville ou à la campagne ?

- - - - - - - - - - - - - - - -

Séquence 2
Enseigner en ville ou à la campagne ?

Objectifs spécifiques

– Faire des comparaisons.
– Repérer différentes façons d'exprimer un point de vue.
– Exprimer la possibilité.

Faites les phases I, II et III pour chacune des séquences, puis passez aux phases suivantes qui s'appliquent aux deux séquences.

Phase I : Visionner et réagir

Cf. Fiches d'activités p. 10

Phase II : Allier l'oral et l'écrit – écouter, lire, écrire

Cf. Fiche d'activités p. 11

Phase III : Exprimer la compréhension globale

Résumez brièvement chaque séquence, oralement ou par écrit (en français ou dans votre langue maternelle)
Confrontez votre résumé à celui du groupe ou au résumé fourni à titre d'exemple dans le Guide d'utilisation.

Phase IV (Première partie) :   Préciser l'observation et la compréhension

Des activités spécifiques sur l'oral et les relations oral-écrit sont regroupées p. 124
Elles peuvent être faites avant ou après les activités ci-dessous.

A ## Séquence 1 : Vivre à la ville ou à la campagne ?

Complétez les phrases suivantes en rétablissant ce que disent les enseignants :

Josiane : J' .... dans une petite ville, et je m'y plais assez bien parce

qu'on n'est pas très loin des grandes villes, ...

,............................. ou .... ; mais j'aime bien

............................., j'aime bien .... Voilà.

Alain : Non, j'aime bien... j'aime bien .... J'aime bien les villes, un

peu finalement, ..., comme Montélimar.

J'adore les grandes villes, mais pour y passer simplement, pour profiter un peu

de tous... de .... qu'offrent les grandes villes.

B ## Séquence 2 : Enseigner en ville ou à la campagne ?

1. Complétez :

Farida : Pour moi, enseigner à la campagne implique avoir ....
.... et cela m'effraie beaucoup.

Renée : C'est .... donc ?

Farida : Pour moi oui, parce que nous envisageons, par exemple, dans cette école

d'avoir des classes à plusieurs niveaux, mais à deux seulement, et là, je suis

déjà effrayée. Alors, une école avec une classe à quatre ou cinq niveaux, cela

me paraît assez ....

Jean-Luc : Je préfère la campagne. J'ai commencé mes premières années d'enseignement

dans des postes en ville, et c'est certain que les enfants n'ont pas la même

............................., n'ont pas le même .... On a des...

des comportements... plus d'............................. ... que l'on ne retrouve pas ici.

Michel : Avant d'enseigner à la campagne, j'ai enseigné à la ville, mais disons que...

moi, j'ai besoin ...., ... quoi...

d'être dans une école... dans ....

64

Christine : On rencontre à la campagne et en ville une population différente. À la campagne les enfants sont plus calmes, ...,
.... À la ville, ils sont souvent ....
....

Michel : Et puis c'est vrai que rien que le fait de pouvoir sortir sans avoir besoin
de ...., de ...., de se retrouver ....
.... très facilement, c'est important.

Anita : Des avantages à enseigner en ville ? Le seul avantage à enseigner en ville que
je perçois bien, c'est, entre autres à Créteil, la proximité* de ....
.... et .... parce que c'est très
important... On a, à Paris énormément de ....,
et je trouve que c'est ...., dès la maternelle
que de pouvoir aller travailler sur des thèmes et pouvoir s'ancrer dans tout un
travail qui a déjà été réalisé au sein .... au sein des
................................., au sein ....

* Note de l'auteur : Anita utilise probablement le terme « proximité » au lieu de « possibilité »

2. *Complétez la grille ci-jointe : résumez le point de vue de chaque instit' quant aux*
   avantages et aux inconvénients de la ville et de la campagne.

	AVANTAGES		INCONVÉNIENTS
Josiane	ville :	cinéma, spectacles, magasins	
	campagne :	repos, silence, enfants plus disponibles et attentifs	
Alain			
Farida			
Jean-Luc			
Michel			
Christine			
Anita			

Phase V : Comprendre et réutiliser le lexique

 Constituez votre propre glossaire

Pour chacun des thèmes, retrouvez le lexique utilisé dans les séquences puis ajoutez d'autres mots possibles.

1. Le milieu urbain, la ville :

   les cinémas, les musées, ...

2. Le milieu rural, la campagne:

   le silence, ...

 Expressions équivalentes

Farida parle d'« une classe à plusieurs niveaux ». Expliquez ce dont il s'agit. Connaissez-vous un autre terme qui recouvre la même réalité ? (voir la cassette B si vous l'avez)

Recherchez dans le discours des enseignants les expressions équivalentes à celles qui sont données ci-dessous :

Exemple : Je m'y trouve assez bien, j'y suis assez heureuse. → Je m'y plais assez bien.

1. Je suis amateur de tout ça. ....

2. Cela me fait très peur. ....

3. Nous considérons la possibilité d'avoir des classes à plusieurs niveaux. ....

4. Cela me semble poser des problèmes d'organisation. ....

5. Ils habitent dans des appartements où il y a des problèmes. ....

Phase VI : Comprendre et réutiliser les structures

 Savoir exprimer un point de vue

1. *Dans cette unité, les enseignants expriment leur point de vue sur les avantages et les inconvénients respectifs de la ville et de la campagne dans leur métier : relevez toutes les expressions qu'ils utilisent à cet effet.*

   Exemple : Pour moi, ... (Farida)

2. *Connaissez-vous d'autres expressions utiles pour présenter un point de vue ?*

   Exemple : d'après moi (lui/elle...)

3. *Résumez les points de vue des enseignants en réutilisant les expressions relevées dans les questions 1 et 2.*

   Exemple : Selon Farida, enseigner à la campagne a un inconvénient : les classes à plusieurs niveaux.

B Établir des comparaisons

1. *Complétez les phrases suivantes :*

   Jean-Luc : (...) c'est certain que les enfants n'ont pas .... attitude, n'ont pas .... comportement. On a des comportements. .... agressivité que l'on ne retrouve pas ici.

   Michel : J'ai besoin d'être dans une école avec .... classes que ce qu'il y a en ville.

   Christine : À la campagne les enfants sont ...., parce qu'ils ont le grand air, ils peuvent sortir beaucoup. À la ville, ils sont ...., ont des activités .... C'est pas .... travail.

   Josiane : Au niveau des enfants, c'est vrai que les enfants sont .... attentionnés*... dans un milieu rural, que dans un milieu urbain, et c'est certainement ....

   Renée : .... les enfants ?

   Michel : Oui sans doute... enfin, on est .... effectivement des familles, on .... les enfants.

   * Note de l'auteur : Il est possible que Josiane utilise le terme « attentionnés » au lieu de « attentifs ».
   [attentionné = plein d'attentions pour quelqu'un ; attentif = qui écoute avec attention].

2. *Connaissez-vous d'autres expressions permettant d'exprimer la comparaison ? Faites votre propre liste et comparez-la avec celle du Guide d'utilisation.*

3. *Quand on prend des notes, on utilise souvent des abréviations.*

   Pouvez-vous lire les phrases suivantes ? Essayez de rétablir les mots correspondant aux abréviations :

   Par exemple, pour exprimer la comparaison : + = plus.

   a) Lyon est **bcp + gd** que Montélimar.

b) Un **instit ĉ** lui.

c) Ils sont **ts les m̂**

d) C'est **de - en -** facile.

Exprimer la possibilité

1. Les possibilités ne sont pas les mêmes à la ville et à la campagne : les enseignants emploient plusieurs expressions exprimant la notion de possibilité. Notez-les.

Exemple : Je **peux** concilier mon métier et le théâtre. (Alain)

2. Vérifiez que vous savez conjuguer le verbe « pouvoir » au présent (voir Unité 2, phase VI)

Réviser

1. Complétez avec la préposition à, de, ou en :

a) Josiane n'habite pas loin .... Valence.

b) J'adore les villes .... une trentaine .... milliers d'habitants.

c) Il ne travaille pas .... l'étranger en ce moment.

d) Alain veut profiter .... tous les avantages qu'offrent les grandes villes.

e) Farida ne veut pas de classe .... plusieurs niveaux.

f) Il a envie .... enseigner .... la campagne.

g) J'ai besoin .... être dans un cadre sympathique.

h) Michel préfère être près .... familles.

i) Quels sont les avantages .... enseigner .... ville ?

j) C'est important .... avoir la possibilité .... visiter des musées.

Phase VII : Réévoquer

Cf. Fiche d'activités p. 12

Phase VIII : S'exprimer librement

Votre point de vue

1. Est-ce que vous habitez à la ville ou à la campagne ? Est-ce un choix ou une nécessité ?

2. Décrivez votre école idéale.

3. Analysez les réponses des instituteurs/institutrices quant aux avantages et aux inconvénients d'enseigner en ville ou à la campagne. Êtes-vous d'accord avec eux ?

4. Débattez les affirmations suivantes :
   a) Dans un village « tout le monde se connaît, tout le monde dit du mal sur tout le monde ». (Isabelle T, cassette B)
   b) Dans une grande ville, on peut parfois avoir l'impression de se trouver à la campagne.
   c) Les enfants sont plus énervés, plus agressifs en ville. Ils sont plus calmes à la campagne.
   d) « Faire vivre un enfant à la campagne, c'est encore ce qu'il y a de plus équilibrant à notre époque ». (Anita, cassette B)

B Jeux de rôle

1. Votre mari/femme est nommé(e) dans une grande ville/ dans un petit village à la campagne. A deux, vous prenez le rôle d'un des conjoints.
   Vous pouvez soit être enthousiaste, soit au contraire envisager cette possibilité comme une catastrophe. Vous pouvez être d'accord, ou au contraire ne pas être d'accord du tout.
2. L'école du village va peut-être fermer parce qu'il n'y a pas assez d'élèves.
   Une réunion publique a lieu pour étudier les solutions possibles : éviter la fermeture de l'école ou accepter la scolarisation des enfants dans un autre village.

Phase IX : Lire pour en savoir plus

Les écoles rurales « s'éclatent »[1]

La nouvelle organisation des écoles primaires mise en place depuis la rentrée 1991 et généralisée à toutes les écoles en 1992, bouleverse les habitudes de travail des enseignants.

Les écoles, et en particulier, les écoles rurales doivent sortir de leur isolement pour s'essayer à de nouvelles pratiques et réfléchir à d'autres formes d'organisation.

Saint-Martin, dans le département des Hautes Pyrénées, l'un des plus ruraux de France, est un petit village de trois cents habitants, situé à une dizaine de kilomètres de Tarbes. Ici, «la nouvelle politique» de l'école primaire et les changements qu'elle entraîne sont vécus comme une petite révolution.

En 1991, la classe unique comprenant les 13 enfants du village en âge de fréquenter l'école primaire : un petit « de la section enfantine », trois du CP, deux du CE1, trois du CE2, deux du CM1, et deux du CM2, « éclate ». Désormais, l'institutrice de cette classe ne va s'occuper que des élèves du cycle des approfondissements, qui regroupe les CE2, les CM1 et les CM2.

A la rentrée 1991, l'école Saint-Martin a rejoint un groupement pédagogique intercommunal (G.P.I.)[2]. Ce groupement est constitué par quatre classes uniques de petites communes de la région de Tarbes, distantes d'à peine 4 kilomètres l'une de l'autre. Grâce à ce regroupement, les trois institutrices et l'instituteur ont élaboré un projet d'école, commun à tous, et ont fait une répartition par cycle des enfants des quatre écoles. C'est ainsi que l'institutrice de Saint-Martin ne s'occupe que du cycle des approfondissements qui regroupe les CE2, les CM1 et les CM2 des quatre villages.

L'heure hebdomadaire de concertation prévue dans la nouvelle organisation a permis aux enseignants d'ébaucher un décloisonnement inter-écoles.

Les huit élèves de grande section de la classe maternelle d'Arcizac-Adour sont venus à plusieurs reprises au cours de l'année à Hiis travailler avec des enfants de CP et de CE1, en ateliers décloisonnés.

L'institutrice d'Arcizac-Adour reconnaît que ses élèves de grande section ont tiré des bénéfices de ces séances avec les « grands ».

Le travail en commun s'est également concrétisé par la réalisation d'un journal, *Écoliers infolies*, auquel les quatre classes ont participé. Chaque classe en a assuré à tour de rôle la rédaction en chef.

Malgré les difficultés techniques rencontrées (transport des enfants entre les différents villages, manque de locaux pour travailler en groupes), les enseignants s'efforcent de tout mettre en œuvre pour sortir les classes de leur isolement. «Les enfants de milieu rural ne voient souvent qu'un seul instituteur au cours de leur scolarité en primaire, explique l'instituteur de la classe unique de Vielle-Adour ; quand ils arrivent au collège, ils connaissent pour la plupart des difficultés d'adaptation. Grâce au G.P.I. et au projet – centré sur la maîtrise de la communication – qui nous fédère, nous pensons arriver rapidement à donner aux enfants de nouvelles habitudes de travail et mieux les aider à se préparer à la sixième».

D'après *Le Monde de l'Éducation*, septembre 1991.

1. «s'éclater» : dans la langue familière, se donner du plaisir, se faire plaisir. Il y a un jeu de mots entre éclater et s'éclater : c'est en apprenant à sortir de leur isolement, donc à éclater, que les écoles rurales uniques, autrefois isolées, découvrent le plaisir de travailler ensemble.
2. Le G.P.I comprend : Saint-Martin, Hiis (140 habitants), Vielle-Adour (348 habitants) et Arcizac-Adour (469 habitants). L'école de La Touche (voir Unité 8) fait aussi partie d'un G.P.I.

Phase X : Réutiliser et transposer dans la salle de classe

En quoi cette unité vous est-elle utile
1. pour communiquer dans la salle de classe en réutilisant les structures ?
2. pour proposer des activités aux enfants sur les thèmes spécifiques de l'unité ?

Confrontez vos idées à celles de votre groupe, et / ou aux suggestions du Guide d'utilisation.

Retour de classe transplantée

Séquence 1

Une classe « gastronomique »

- - - - - - - - - - - - - - - -

Objectifs spécifiques

– Dire ce que l'on a fait.
– Observer et comprendre l'emploi du passé composé.
– Émettre des opinions et des préférences.

Faites les phases I, II et III, puis passez aux phases suivantes.

Phase I : Visionner et réagir

Cf. Fiche d'activités p. 10

Phase II : Allier l'oral et l'écrit – Écouter, lire, écrire

Cf. Fiche d'activités p. 11

Phase III : Exprimer la compréhension globale

Résumez brièvement chaque séquence, oralement ou par écrit (en français ou dans votre langue maternelle).
Confrontez votre résumé à ceux du groupe ou au résumé fourni à titre d'exemple dans le Guide d'utilisation.

Phase IV (Première partie) :   Préciser l'observation et la compréhension

Des activités spécifiques sur l'oral et les relations oral-écrit sont regroupées p. 124
Elles peuvent être faites avant ou après les activités ci-dessous.

A **Séquence 1 : une classe gastronomique**

Répondez aux questions suivantes.

1. Où Farida est-elle partie avec sa classe ? Pendant combien de temps ?
2. Combien de saveurs différentes les enfants ont-ils goûtées ? Lesquelles ?
3. Qu'est-ce que les enfants ont acheté au marché ? Qu'ont-ils fait après leurs courses ?
4. Quels sont les principaux ingrédients du plat qu'ils ont confectionné ?
5. Qui est venu expliquer les principes de l'extraction du miel ?
6. Qu'est-ce que chaque enfant a reçu à la fin de la démonstration ?
7. Comment les enfants ont-ils réagi devant les vaches ?
8. Les enfants ont-ils été satisfaits de leur séjour ?

Phase V : Comprendre et réutiliser le lexique

 Constituez votre propre glossaire

Pour chaque thème, retrouvez le lexique utilisé dans la séquence, puis ajoutez le plus de termes possibles.

1. Les classes transplantées ou classes de découverte :

classe de gastronomie, ...

2. Les cinq sens :

l'odorat, ...

3. La cuisine :

confectionner une tourte, ...

4. L'apiculture :

le miel, ...

5. Les animaux de la ferme :

la vache, le bœuf, ...

Expressions utilisées

Notez les expressions utilisées par Farida pour énumérer les activités, et marquer leur progression.

Exemple : Nous avons commencé par…

Les familles de mots

Complétez le tableau suivant selon le modèle donné.

VERBES	SUBSTANTIFS
…………découvrir…………	découverte (f)
…………………………………	essai (m)
étonner	…………………………………
…………………………………	explication (f)
résulter	…………………………………
contenir	…………………………………
photographier	…………………………………
…………………………………	décision (f)
préférer	…………………………………

Phase VI : Comprendre et réutiliser les structures

Situer dans le temps : observer et comprendre l'emploi du passé composé

1. *Tous les verbes au passé composé ont été omis de la transcription suivante : à vous de les rétablir.*

Nous avons la possibilité de partir en classe de découverte avec nos élèves. Avec les miens, je ………………………………… au mois de juin, trois semaines, près de Genève, à Annemasse, en classe « gastronomie ».

Nous ………………………………… par la découverte des saveurs. On …………………………………

aux enfants cinq gobelets avec des contenus aux saveurs différentes: sucré, salé, acide, amer.

Les enfants ………………………………… à goûter, et ils ………………………… leurs résultats sur une feuille. Ils .... En voici qui font la grimace : ils .... goûter une

saveur amère. Nous .... les résultats au tableau, nous ....

Ce qui est intéressant, c'est que les enfants .... les saveurs.

Nous .... à l'étude de l'équilibre alimentaire : .... ;

une certaine somme d'argent à chaque enfant, et ils ....

au marché faire leurs courses. Les enfants .... sur les bonbons !

Ils .... acheter des gâteaux. En fait ils ....

de se grouper par groupes de quatre ou cinq pour avoir plus d'argent. Ensuite ils

.... leurs comptes. Et le tout .... par un

pique-nique.

Dans un troisième temps, ils .... un plat : une tourte aux pommes

de terre. Le chef .... comment malaxer la farine et le beurre. Les enfants

.... la pâte avec une bouteille. Ils ....

les oignons. La pâte .... dans des moules. Voici les moules remplis,

et ici les tourtes sont presque terminées. Voici le résultat : les tourtes sont cuites, dorées et

réussies !

Un apiculteur .... dans la classe montrer comment on extrait le miel.

Chaque enfant de la classe .... et y .... beaucoup de

plaisir. L'apiculteur .... les principes de l'extraction, et les enfants

.... et avec beaucoup d'étonnement. Lorsque le miel

.... couler, chaque enfant .... s'agenouiller

pour remplir un petit pot. Les enfants .... ravis. Les voici avec leurs pots à la fin

de la séquence.

Nous .... visiter une ferme, mais les enfants .... de

s'approcher des animaux. L'un d'entre eux .... de photographier les

vaches. Le chien ...., et les enfants .... jouer avec lui

pendant un moment.

Tous les enfants .... chez eux ravis de ce séjour.

2. Retrouvez l'infinitif des verbes suivants :

Exemple : Ils ont fait la grimace → faire

a) il y a pris beaucoup de plaisir   b) nous avons inscrit les résultats

c) ils ont confondu les saveurs

d) ils ont dû goûter

e) ils ont eu peur

f) le chien est venu

g) ils sont allés au marché

h) ils se sont amusés

3. *Que remarquez-vous quant à la forme du passé composé, et en particulier quant à l'auxiliaire ?*

4. *Que remarquez-vous en ce qui concerne l'accord du participe passé ?*

5. *Comment expliquez-vous la différence de construction du verbe « passer » ?*
   a) Nous avons passé trois semaines à Annemasse.
   b) Nous sommes ensuite passés à l'étude de l'équilibre alimentaire.

6. *Comparez les deux phrases suivantes : est-ce qu'il s'agit du passé composé dans les deux cas ?*
   a) Le tout s'est terminé par un pique-nique.
   b) Ici les tourtes sont presque terminées.

7. *Quelle est en général la position de l'adverbe qui qualifie un verbe au passé composé ?*

8. *Comment expliquez-vous l'emploi du passé composé dans le contexte de la séquence ?*

 Vérifiez vos connaissances

1. *Retrouvez les participes passés correspondant aux infinitifs suivants :*
   Exemple : donner → donné

   a) faire ....

   b) mettre ....

   c) prendre ....

   d) avoir ....

   e) être ....

2. *Retrouvez les infinitifs correspondant aux participes passés suivants:*
   Exemple : eu → avoir

   a) voulu ....

   b) pu ....

   c) su ....

   d) bu ....

   e) cru ....

   f) lu ....

   g) vu ....

   h) reçu ....

   i) connu ....

   j) plu ....

3. *Mettez les phrases suivantes à la forme négative :*

Exemple : Farida a passé une semaine près de Nice.
   Farida n'a pas passé une semaine près de Nice.

a) Les enfants sont allés en classe de mer. ....

b) Les enfants ont aimé la saveur amère. ....

c) Les enfants ont eu peur du chien. ....

d) La classe s'est promenée dans les montagnes. ....

4. *Transposez les phrases suivantes au passé :*

Exemple : Elle va à Annemasse.
   Elle est allée à Annemasse.

a) Ils partent en classe de découverte. ....

b) Les enfants s'amusent bien. ....

c) Nous devons organiser un pique-nique. ....

d) Je ne peux pas venir. ....

e) Elles viennent souvent. ....

f) Ils restent trois semaines. ....

g) Je vois l'apiculteur. ....

h) Nous buvons un liquide amer. ....

i) Il pleut. ....

j) Ça me plaît. ....

Phase VII : Réévoquer

Cf. Fiche d'activités p. 12

Phase VIII : S'exprimer librement

A Votre point de vue

1. Qu'avez-vous fait hier ?
   le week-end dernier ?
   pendant les vacances de Noël ?
   l'été dernier ?

2. Avez-vous participé à un voyage scolaire ou à une classe de découverte avec vos élèves ?
   Racontez comment cela s'est passé.

3. Êtes-vous allé(e) en France ? Si oui, où et quand y êtes-vous allé(e) ? Racontez ce que vous avez fait / vu / mangé, etc.

4. Le principe de la classe de découverte est bien établi en France. Est-ce le cas dans votre pays ? A votre avis, est-ce que c'est une bonne idée ?

B **Jeux de rôle**

Des enseignants, des parents et des élèves se réunissent pour étudier la possibilité de mettre au point une classe de découverte ou un voyage scolaire.
Il s'agit d'étudier les diverses possibilités (classe de neige /de mer ?, classe gastronomique ?, classe verte ? classe musicale ?) et de comparer les avantages et les inconvénients de chacune :
– hébergement (centres spéciaux, auberges de jeunesse...),
– coût (subventions, participation des parents, fonds supplémentaires),
– activités (organisation de l'emploi du temps des élèves),
et de mettre au point un emploi du temps possible.

Vous pouvez utiliser les expressions suivantes :

Il vaut mieux + infinitif.
Il est préférable de + infinitif.
Cela va permettre aux enfants de +infinitif.
Il y a trop de... / il n'y a pas assez de ... qui...
C'est une bonne /excellente idée...
Moi, je pense que c'est la meilleure solution...
Moi, je trouve que c'est dommage.

Phase IX : Lire pour en savoir plus

Les classes de découverte

Aujourd'hui, beaucoup d'écoles maternelles et élémentaires organisent des classes de découverte. Comme son nom l'indique, la classe de découverte suppose qu'un groupe-classe se déplace dans une région de France pour découvrir les ressources de l'environnement, tout en donnant l'occasion aux enfants de la classe de développer ou d'affirmer de nouvelles aptitudes. (*)
Ces classes de découverte sont, selon le moment de l'année et le cadre d'accueil, des classes de nature ou classes vertes, classes de neige, de rivière, de mer, de montagne, de lac, qui peuvent être aussi des classes de gastronomie ou classes musicales.
La classe de découverte doit s'insérer dans le plan annuel de travail de la classe. Partir en classe de découverte n'est pas un événement fortuit, mais un élément pivot qui va mobiliser la classe avant, pendant et après le séjour.
Avant : il s'agit de concevoir et de préparer le projet avec les enfants, de préparer et d'informer les familles, de régler les nombreuses questions administratives et l'hébergement.
Pendant : c'est l'organisation de la vie collective centrée sur le plaisir de la découverte, le développement de l'esprit scientifique, la pédagogie de la découverte, l'étude du milieu, le développement des aptitudes physiques par la pratique et l'exploration.
Après : c'est le bilan, l'évaluation, le prolongement des activités, la diffusion de l'expérience.

Il faut donc comprendre qu'une classe de neige n'est pas un stage de ski, ni un stage sur la neige, pas plus qu'une classe de lac n'est un stage de voile.

Ainsi, le projet de classe de découverte élaboré par deux grandes sections de l'école maternelle de l'école Pierre de Coubertin à Villeneuve-la-Garenne, dans les Hauts-de-Seine s'est fixé comme objectifs généraux :

1. de vivre une expérience collective qui va développer l'acquisition d'attitudes différentes ;
2. de répondre aux besoins physiologiques, relationnels et intellectuels de l'enfant, par :
   - la connaissance d'un autre milieu,
   - la découverte d'activités nouvelles (poney et escalade),
   - la pratique d'une pédagogie du projet et d'éveil.

La structure d'accueil est un centre de vacances de la commune, un chalet de montagne, situé en Savoie, près de Bonneville, à Mont Saxonnex.

Le développement du projet s'articule autour d'activités précises, se référant aux grands domaines définis par les instructions officielles :
   - les activités physiques (escalades, courses, sauts, glissades, roulades) ;
   - les activités de communication et d'expression orales et écrites (correspondance, articles pour le journal du groupe scolaire) ;
   - les activités artistiques (décoration des lieux, chambre, classe, réfectoire, illustrations du cahier « classe de découverte » et de l'album de vie avec photos, cartes postales, dépliants, etc.) ;
   - les activités scientifiques et techniques (observation et comparaison des milieux de vie, relief, flore, faune, vie des habitants, métiers, représentation du temps et de l'espace).

Ces activités sont réparties à l'intérieur d'une journée type (cf. document ci-joint).

L'évaluation de la classe de découverte a porté à la fois sur :
   - l'évaluation des enfants dans leur savoir-être (comportements), leurs savoirs (connaissances) et leurs savoir-faire (compétences acquises) ; elle a été faite par les enfants eux-mêmes et aussi par les parents, à partir de questionnaires et de mise en commun ;
   - et sur l'évaluation de l'équipe éducative : analyse des objectifs, modifications et prolongements possibles, élargissement de l'expérience.

Aux dires des enseignants et des parents, les classes de découverte sont une formidable expérience individuelle et collective, surtout pour les enfants qui souvent s'en souviennent longtemps.

Bulletin Officiel du 17 septembre 1982, © C.N.D.P..

(*) Petite bibliographie : *Partir en classe de découverte*, Berger, Ledorze, Lesimple, Rappeneau, édition Colin-Bourrelier. *En sortant de l'école*, R. Pénin, Edilig.

Phase X : Réutiliser et transposer dans la salle de classe

En quoi cette unité vous est-elle utile
1. pour communiquer dans la salle de classe en réutilisant les structures ?
2. pour proposer des activités aux enfants sur les thèmes spécifiques de l'unité ?

Confrontez vos idées à celles de votre groupe, et / ou aux suggestions du Guide d'utilisation.

L'école autrefois

Séquence 1
La demoiselle

Objectifs spécifiques

– Évoquer une époque passée, et dire comment les choses étaient.
– Observer et comprendre l'opposition passé composé/imparfait/plus-que-parfait.
– Mettre une information en valeur.
– Éviter les répétitions grâce aux pronoms personnels.
– Exprimer son accord ou son désaccord.

Faites les phases I, II et III, puis passez aux phases suivantes.

Phase I : Visionner et réagir

Cf. Fiches d'activités p. 10

Phase II : Allier l'oral et l'écrit – écouter, lire, écrire

Cf. Fiches d'activités p. 11

Phase III : Exprimer la compréhension globale

Résumez brièvement chaque séquence, oralement ou par écrit (en français ou dans votre langue maternelle).
Confrontez votre résumé à ceux du groupe ou au résumé fourni à titre d'exemple dans le Guide d'utilisation.

Phase IV (Première partie) : Préciser l'observation et la compréhension

Des activités spécifiques sur l'oral et les relations oral-écrit sont regroupées p. 124
Elles peuvent être faites avant ou après les activités ci-dessous.

A — Première partie (les retrouvailles)

1. *Répondez aux questions suivantes :*
   a) Dans quelle région se trouve La Touche ? Qu'est-ce qui caractérise le village ?
   b) Pourquoi l'école n'a-t-elle pas fermé ?
   c) Qu'a-t-on retrouvé dans les archives? De quand la photo date-t-elle ?
   d) Pourquoi, à votre avis, l'institutrice se souvient-elle de Simone, la sœur de Jacques Puissel ?
   e) A quoi sait-on que René Charpenelle n'était pas fils unique ?
   f) Pourquoi l'institutrice n'est-elle pas sur la photo ?
   g) Comment Madame Meyer a-t-elle réagi quand elle a appris le départ de l'institutrice ?
   h) Quel âge avait-elle à l'époque ?
   i) Qu'est-ce qui a changé depuis 1936 ?
   j) Comment appelait-on l'institutrice ?

B — Deuxième partie (l'école autrefois racontée aux enfants)

1. *Relevez toutes les questions posées par les enfants à l'institutrice en retraite.*

   Exemple : – Est-ce que vous aviez beaucoup d'élèves ?

2. *Résumez les réponses de l'institutrice.*

   Exemple : – De 17 à 22 (mais d'autres chiffres sont donnés).

Phase V : Comprendre et réutiliser le lexique

A — Constituez votre propre glossaire

Pour chacun des thèmes suivants, retrouvez le lexique utilisé dans la séquence, puis ajoutez d'autres mots possibles.

1. La mémoire :

   se souvenir de quelque chose, ...

2. La salle de classe :

   l'armoire, ...

3. Les élèves :

les petits, les grands, ...

4. La mairie :

le maire, ...

 B **Expressions idiomatiques**

1. *Essayez d'expliquer ce qu'était, à votre avis, le « certificat d'études ».*

2. *Relevez toutes les expressions de temps qui se rapportent à :*

a) *une action répétée :*

de temps en temps ....

b) *un moment relativement défini dans le temps :*

avant de partir ....

Phase VI : Comprendre et réutiliser les structures

A **L'opposition passé composé / imparfait /plus-que-parfait**

1. *De mémoire, ou en revisionnant le document, complétez les phrases suivantes. Ensuite soulignez les formes ou terminaisons des verbes, et réfléchissez sur la fonction des divers temps : l'important est d'arriver à comprendre la différence entre l'emploi du passé composé, et celui de l'imparfait et du plus-que-parfait. (Vous pouvez vous exprimer dans votre langue maternelle).*

a) **Instit' :** J' .... Simone !

Le maire : Ça c'est... c'est ma sœur

Instit' : Je lui .... à lire juste avant de partir.

Mme M. : Voilà !

Instit' : Je l' .... la dernière année.

Le maire : J' .... de vous... effectivement...

Instit' : Simone, oui ! Je l'............................... la dernière année. Et oui ! Et oui !

Le maire : Vous .... le village.

b) **Mme M. :** Voilà ! Elle est mariée, mais alors il y a très longtemps que je .... de ses nouvelles.

Instit' : Je .... son nom !

c) **Instit' :** Et oui ! C'........................... en trente-six.

Mme M. : Dommage, vous n'y .... pas dessus !

Instit' : Je .... être sur les photos. Moi, je .... photogénique.

d) **Mme M. :** Mais que j'........................... quand vous .... ! Mon Dieu quand vous nous... Écoutez je la revois la scène. Je .... avoir sept ans, et vous nous .... ça... juste avant de sortir de l'école, mais alors, j'........................... inconsolable hein ! Vraiment hein ! Vous m'... vraiment le premier chagrin de ma vie ! Oh la la ! Et puis c'... l'époque où les institutrices .... quand même très respectées, hein !

e) **Instit' :** Quand je .... j'en .... dix-sept, puis j'en .... jusqu'à trente-deux. Vingt-deux pardon ! Vingt-deux ! De dix-neuf à vingt-deux. Et j'........................... des garçons et des filles bien sûr. Je sais que devant il y .... les petits, garçons et filles, et puis alors, ceux qui .... un peu plus grands, et puis tout à fait au fond les plus grands bien sûr... ceux qui .... au certificat d'études.

Élève : Qu' est-ce que vous leur .... faire ?

Instit' : Et bien j'........................... à lire aux tout petits. Et puis, pour les grands, il .... faire du calcul... et du français. Il .... faire des leçons d'histoire, de géographie.

f) **Instit' :** On .... un grand poêle. Un grand poêle dans lequel on .... du bois et du charbon. Et c'........... moi qui .... le poêle le matin, avant l'arrivée des élèves.

Élève : On .... à l'encre ?

Instit' : Ah ! On .... à l'encre ! Alors, c'........... moi qui .... l'encre dans les encriers. Au début c'........... moi qui .... acheter les livres et les cahiers et les revendre aux élèves, et je .... du tout... pas du tout ça ! Alors, j' ...., j'........................... la caisse des écoles dès la première année. Dès que j'........................... ici, j'........................... qu'on crée la caisse des écoles, et il y .... effectivement une réunion à la Mairie avec

le Maire et les Conseillers Municipaux, et on .... la caisse des

écoles. Alors c'.............. un... j'............................ toujours les livres,

c'................. moi qui les ...., qui .... à

la librairie acheter livres et cahiers mais, je .... les factures !

C'.................. la Mairie qui ....

g) **Élève :**   Est-ce que vous .... en voiture ?

    Instit' :   Est-ce que... ?

    Élève :   Vous .... en voiture ?

    Instit' :   Je .... en voiture ? A ce moment là, y .... un... un autocar

            qui .... deux fois par semaine, ici. Autrement on ....,

            je .... à bicyclette.

2. Mettez les phrases suivantes d'abord à l'imparfait, ensuite au plus-que-parfait .

Exemple : Elle est institutrice. → Elle était institutrice.
                           Elle avait été institutrice.

a) Je vois le château. ....

b) Les enfants vont à l'école. ....

c) Il y a une carte de géographie sur le mur. ....

d) Vous finissez la classe à quatre heures et demie. ....

e) Elle apprend à lire aux enfants. ....

f) Ils comprennent les explications. ....

g) Elle lit une histoire. ....

h) Tu viens à bicyclette ? ....

i) Il fait beau ou il pleut ? ....

j) Ça me plaît. ....

3. Mettez les verbes entre parenthèses aux temps voulus :

Madame Pontier est une institutrice en retraite. De 1930 à 1937, elle ....

(enseigner) dans un petit village de la Drôme qui s'appelle La Touche. En 1991, elle

.... (retourner) au village. C'.............. (être) un beau jour du mois de mars : il

.... (faire) un peu froid, mais le ciel .... (être) bleu. Une de ses anciennes

élèves .... (savoir) qu'elle .... (devoir) venir, et elle .... (essayer) de retrouver les camarades de classe qui .... (être) sur une vieille photo qui .... (être prise) en 1936 et que l'on .... (trouver) dans les archives. Elle .... (retrouver) le plus jeune élève de la classe, mais malheureusement, tous ceux qu'elle .... (contacter) .... (ne pas pouvoir) venir. Le maire du village, Jacques Puissel, lui-même le « petit frère » d'une autre ancienne élève, Simone, ... (venir) accueillir l'institutrice.

Ensuite, Madame Pontier .... (répondre) aux questions des enfants. Elle .... (expliquer) comment les choses .... (se passer) autrefois : les enfants .... (vouloir) savoir si la salle de classe .... (changer). L'institutrice leur .... (dire) qu'elle .... (croire) que le bureau .... (être) le même ! Les enfants .... (demander) s' il y .... (avoir) un ordinateur dans la classe et si les enfants .... (être) sages.

Manifestement, Madame Pontier .... (se plaire) beaucoup à la Touche dans les années 30.

B La mise en valeur

Dans la scène des retrouvailles, on trouve plusieurs procédés de mise en valeur de l'information :
1. L'exclamation :   **Oh,** j'ai pleuré quand vous êtes partie !
                         Ah ! C'est René là !
                         Bien oui, je savais que c'était un fils C.!
                         Mais que* j'ai pleuré quand vous êtes partie !
2. La redondance /reprise du sujet :
                         Moi, je suis Jacques Puissel.
                         Moi, je ne me trouvais pas photogénique
3. C'est .... + relatif : **C'est** le dernier des Charpenelle **que** j'ai eu...
                         C'était l'époque **où** les institutrices étaient...
                         C'est plus comme maintenant **où**....
4. Les adverbes :   J'ai beaucoup entendu parler de vous, **effectivement**
                         Vous m'avez occasionné **vraiment** le premier chagrin...
* que = combien ou comme

Cherchez dans la deuxième partie du document les procédés de mise en valeur de l'information :

1. l'exclamation : ....

2. la redondance / reprise du sujet : ....

         et de l'objet : ....

3. c'est ... + relatif : ....

4. les adverbes : ....

Y a-t-il d'autres procédés ?

 ## L'impératif

1. *Madame Meyer utilise trois fois l'impératif quand elle s'adresse à son ancienne institutrice : notez-les.*

2. *Est-ce que ce sont des ordres ? Quelle est, à votre avis, la fonction de ces impératifs ?*

 ## Les pronoms personnels

Pour éviter la répétition, on emploie des pronoms personnels. Complétez les phrases suivantes.

1. a) Je .... ai appris à lire juste avant de partir.

   b) Je .... ai eue la dernière année.

   c) Je vais .... dire.

   d) Il ne s'............... souvient pas.

   e) Je ne .... reconnais pas.

   f) Vous .... avez occasionné le premier chagrin de ma vie.

   g) On .... appelait la demoiselle.

2. a) J'............... avais 17, puis j'............... ai eu jusqu'à 32.

   b) Qu'est-ce que vous .... faisiez faire ?

   c) Vous .... avez changé de place.

   d) Le bureau ne .... paraît plus être le même.

   e) L'armoire n'............... était pas.

   f) C'était moi qui devais acheter les livres et .... revendre aux élèves.

   g) C'était moi qui .... choisissais.

   h) C'était la mairie qui s'............... chargeait.

   i) Je n'avais pas à m'............... plaindre.

Est-ce que vous connaissez les diverses règles qui gouvernent l'emploi du pronom personnel en français ? Reportez-vous au Guide d'utilisation.

Constructions infinitives / Faire faire quelque chose

(cf. Unité 3)
« Qu'est-ce que **vous leur faisiez faire** ? »
« Il y a peut-être les premiers livres que **j'ai fait acheter.** »
« J'**avais fait créer** la caisse des écoles. »

1. Faites une liste de tout ce que vous faites faire à vos élèves :

   Exemple : je fais lire mes élèves = je **les fais lire**
             je fais faire du calcul à mes élèves = je **leur fais faire** du calcul

2. Faites une liste de ce que vous avez fait faire pour le bénéfice de vos élèves, c'est-à- dire de ce que vous avez demandé aux autorités compétentes de faire :

   Exemple : **J'ai fait acheter** un ordinateur.

3. Repérez les autres constructions infinitives utilisées par l'institutrice.

   Exemple : **Je lui ai appris à lire** : apprendre à lire à quelqu'un.

Phase VII : Réévoquer

Cf. Fiche d'activités p. 12

Phase VIII : S'exprimer librement

Votre point de vue

1. Vos débuts dans l'enseignement : quand, où et comment avez-vous débuté ?
   Comment les choses se sont-elles passées ?
2. En quoi les choses ont-elles changé à l'école primaire, dans votre pays, depuis votre enfance et/ou depuis vos débuts dans l'enseignement ?
   Que pensez-vous des changements ?
3. « Maintenant (…) on trouve moins ce respect des enseignants ». Êtes-vous d'accord ?
   Quelle est la situation dans votre pays ? Les enseignants étaient-ils plus respectés autrefois ?
   Donnez vos raisons.
4. Pensez à un moment de votre enfance ou de votre jeunesse et rassemblez vos souvenirs en commençant par :
   « je la revois la scène : je devais avoir ..... ans ... »
   ou
   « C'était l'époque où.... »

B Jeux de rôle

Une vive discussion a lieu dans la salle des maîtres au sujet des conditions de travail et de la situation dans l'enseignement en général ou simplement des conditions de vie autrefois. Certains pensent que tout allait mieux avant, d'autres le contraire, d'autres encore sont partagés. Vous participez à la discussion.

Vous pouvez utiliser les expressions suivantes pour exprimer votre accord ou votre désaccord.

Absolument, vous avez tout à fait raison
Je suis entièrement d'accord avec vous / de votre avis
Bien sûr / tout à fait
C'est très juste !
Ça, c'est vrai !

Mais pas du tout !
Absolument pas ! (je ne suis pas d'accord / de votre avis !)
Vous vous leurrez si vous croyez que ...
C'est faux
Vous avez tort / vous êtes naïf

Je ne suis pas totalement d'accord
Il y a plusieurs façons de voir les choses
Vous voyez les choses en noir et blanc
Il faut être un peu plus nuancé

Phase IX : Lire pour en savoir plus

L'école communale de Jules Ferry

C'est à Jules Ferry, alors Ministre de l'Instruction publique que l'on doit la création de l'école publique, laïque, gratuite et obligatoire, en 1881-1882.
En ce temps-là, on entrait à l'école à quatre ou cinq ans, on en sortait à treize ou quatorze ans avec – quand on le pouvait – le certificat d'études.
Très peu d'enfants continuaient leurs études dans les écoles primaires supérieures d'alors et encore moins dans les lycées car les parents devaient payer les études.
Le « bon maître » était celui qui expliquait bien, qui répétait inlassablement.
En ce temps-là, l'apprentissage s'appuyait essentiellement sur la mémoire. On apprenait par cœur les affluents des fleuves, les dates d'histoire, les différentes parties de la fleur, les fables de La Fontaine. D'où l'importance des punitions retenues, vexations (les fameux bonnets d'âne) et des récompenses : bons points, images.
Le certificat d'études était minutieusement préparé ; souvent les candidats restaient le soir après l'école pour réviser avec l'enseignant. Le certificat d'études représentait un véritable « baptême civique », il apportait la certification des qualités morales et intellectuelles ainsi que celle des connaissances fondamentales immédiatement utilisables.
La salle de classe d'alors était un univers très particulier, véritable lieu de vie, de connaissance, d'expérience pour l'enseignant et les enfants.

Dans une odeur de craie, d'encre, de poussière et de sueur, les grandes cartes accrochées sur les murs côtoyaient les tableaux de sciences exposant, sous des couleurs rassurantes, les mystères de la vie !

Le monde était là, à portée de main, tout entier offert à la curiosité et au désir d'apprendre.

Dans une armoire vitrée, les romans de la bibliothèque exaltaient le courage, le travail, l'amour du prochain : Victor Hugo*, Edmond About*, Hector Malot*, Erckmann-Chatrian*, Jack London*...

Une autre armoire vitrée contenait le musée : des échantillons de pierres, de coquillages, des animaux empaillés, une vipère dans le formol, des papillons...

Les pupitres alignés, dans lesquels s'entassaient à côté des livres et des cahiers, le « quatre-heures », la corde à sauter, une balle et quelques billes, l'ardoise et les bûchettes pour compter.

Le bureau du maître ou de la maîtresse était sur l'estrade devant le grand tableau noir.

Les élèves gardaient le même maître plusieurs années, souvent toute leur scolarité.

Dans la classe, la cohabitation d'enfants d'âge et de niveau différents renforçait le caractère familial, voire patriarcal, de l'école communale. Les plus grands approfondissaient ce qu'ils savaient en aidant les plus jeunes, les plus petits saisissaient au vol des informations qui ne leur étaient pas destinées et dont ils commençaient à faire leur miel.

En moins d'un siècle, près de cinquante milliards de journées semblables ont été vécues par des enfants de France, quelle que soit leur province.

D'après *L'école de Jules Ferry*, de Jean FOUCAMBERT, © Retz 1986.

* Victor Hugo (1802-1885), écrivain et poète français, chef de l'école romantique, a devancé et illustré les préoccupations morales, politiques et littéraires de son siècle. Pour lui, le poète est surtout le guide qui peut mener l'homme à la vérité. Pièces et drames les plus connus : *Hernani, Ruy Blas, Lucrèce Borgia*.
Nombreux recueils de poèmes dont le très célèbre *L'art d'être grand-père*, et une vaste peinture de la lutte du bien et du mal *La légende des Siècles*.
Romans célèbres : *Notre-Dame de Paris, les Misérables*.

* Edmond About (1828-1885), écrivain français et journaliste politique, d'opinion anticléricale. Romans les plus connus : *Le roi des Montagnes* et *L'homme à l'oreille cassée*.

* Hector Malot (1830-1907), écrivain français dont les très nombreux romans furent très célèbres à son époque, en particulier *Romain Kalbris* et *Sans Famille*.

* Erckmann-Chatrian, noms de deux écrivains français : Émile Erckmann et Alexandre Chatrian, d'origine alsacienne, associés de 1847 à 1889, ont écrit beaucoup de contes et romans populaires dont le très célèbre roman *L'ami Fritz*.

* Jack London (1876-1916), romancier américain, l'un des plus lus à l'étranger, autodidacte ayant vécu des aventures tumultueuses ; ses romans évoquant avec vivacité et émotion le monde animal sont souvent lus à l'école primaire, en particulier *Croc-Blanc* (*White Fang*).

Phase X : Réutiliser et transposer dans la salle de classe

En quoi cette unité vous est-elle utile
1. pour communiquer dans la salle de classe en réutilisant les structures ?
2. pour proposer des activités aux enfants sur les thèmes spécifiques de l'unité ?

Confrontez vos idées à celles de votre groupe, et / ou aux suggestions du Guide d'utilisation.

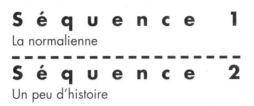

La formation

S é q u e n c e   1
La normalienne
- - - - - - - - - - - - - - - - - -
S é q u e n c e   2
Un peu d'histoire

O bjectifs spécifiques

– Parler de sa formation.
– Réviser les temps du passé.
– Comprendre la forme passive.

Faites les phases I, II et III pour chacune des séquences, puis passez aux phases suivantes qui s'appliquent aux deux séquences.

Phase I : Visionner et réagir

Cf. Fiche d'activités p. 10

Phase II : Allier l'oral et l'écrit – écouter, lire, écrire

Cf. Fiche d'activités p. 11

Phase III : Exprimer la compréhension globale

Résumez brièvement chaque séquence, oralement ou par écrit (en français ou dans votre langue maternelle).
Confrontez votre résumé à ceux du groupe ou au résumé fourni à titre d'exemple dans le Guide d'utilisation.

Phase IV : Préciser l'observation et la compréhension

Des activités spécifiques sur l'oral et les relations oral-écrit sont regroupées p. 124
Elles peuvent être faites avant ou après les activités ci-dessous.

Séquence 1 : La normalienne

Répondez aux questions suivantes :

1. Dans quelle classe Christèle enseigne-t-elle ?
2. Quel âge ont les enfants ?
3. Quelles études a-t-elle faites avant de devenir institutrice ?
4. Son niveau d'études est-il suffisant aujourd'hui ? Pourquoi ?
5. En quoi consiste la formation des normalien(ne)s ?
6. Donnez des exemples de cours théoriques.
7. Comment est assurée la formation pratique ?
8. Quelle est la durée des stages ?
9. Christèle est-elle satisfaite de sa formation ? Pourquoi ?
10. Avait-elle déjà travaillé avec des enfants ? Dans quel contexte ?

Séquence 2 : Un peu d'histoire

Un peu d'histoire

L'an III de la République correspond à la dernière phase de la Convention Nationale qui a proclamé la République en septembre 1792, après la Révolution de 1789.

Jules Ferry : Ministre de l'Instruction Publique de 1879 à 1883. Il a fait adopter les principales mesures de réforme de l'enseignement public : laïcité, gratuité, caractère obligatoire.

Vichy : gouvernement du Maréchal Pétain installé à Vichy du 10 juillet 1940 au 20 août 1944, pendant l'occupation allemande.

Répondez aux questions suivantes :

1. À quoi correspondent les dates suivantes ?

   1795 : ....

   1810 : ....

   1872 : ....

   1945 : ....

   1991 : ....

2. Résumez les principaux changements au niveau de la formation.
3. Quelle est l'idée maîtresse derrière la création des IUFM ?
4. Quels sont les trois principaux problèmes ?

Phase V : Comprendre et réutiliser le lexique

 A **Constituez votre propre glossaire**

Pour chacun des thèmes suivants, retrouvez le lexique utilisé dans les séquences puis ajoutez d'autres mots possibles.

1. La formation :

   l'Ecole Normale, ...

2. Les études :

   le baccalauréat, ...

Expliquez ce qu'est une « colo ».

B **Noms et adjectifs**

1. Quels sont les noms qui correspondent aux adjectifs suivants ? Indiquez s'ils sont masculins ou féminins. (Vous pouvez vous aider d'un dictionnaire.)

	ADJECTIFS	NOMS
Exemple :	pédagogique	pédagogie f, pédagogue, mf.
	différent	....
	urgent	....
	responsable	....
	ancien	....
	unique	....
	considéré	....
	supprimé	....
	ouvert	....

2. Quels noms et quels adjectifs correspondent aux verbes suivants ? (Vous pouvez vous aider d'un dictionnaire.)

	VERBES	NOMS	ADJECTIFS
Exemple:	concevoir	concept m, conception f	conçu
	confier	....	....
	débuter	....	....
	décrire	....	....

durer	....	....
permettre	....	....
recevoir	....	....
résoudre	....	....
suivre	....	....

Phase VI : Comprendre et réutiliser les structures

A Les temps du passé

1. *Rétablissez les verbes, puis analysez les temps.*

a) Je pense que c'est une formation qui .... positive dans la mesure où justement

l'équipe pédagogique .... jongler très bien entre le théorique et la pratique, c'est-

à-dire que tout ce qui nous .... en théorie, nous .... essayer de le

mettre en pratique, je .... dire dans les classes que l'on nous ....

b) Et avant de suivre cette formation à l'École Normale, est-ce que vous ....

le contact avec des enfants, est-ce que vous .... déjà avec des enfants ?

2. *L'emploi des temps de la deuxième séquence (« Un peu d'histoire ») :*
Rétablissez les verbes et indiquez entre parenthèses le temps dont il s'agit : (P =
Présent ; P.C. = Passé composé ; I = Imparfait) ; soulignez les formes passives .

La première École Normale **a été créée** (PC) en l'an III de la République.

À l'époque, ... trois mois.

Le véritable début des Écoles Normales, c'................. en 1810, c'................. à Strasbourg, en

Alsace. L'École Normale de Paris .... une des dernières créées, en 1872, soixante-

deux ans plus tard. Les Écoles Normales .... bien avant Jules Ferry.

Au début, on .... comme aujourd'hui la pédagogie. La formation

.... un caractère essentiellement pratique, et elle .... dans des

écoles annexées aux Écoles Normales, ce qu'on .... les écoles annexes.

Elle .... par d'anciens instituteurs. Et la question d'unir la théorie et la pra-

tique .... beaucoup moins qu'aujourd'hui.

Puis pendant l'Occupation allemande, Vichy .... les Écoles Normales, et elles

.... en 1945. Mais elles .... de caractère et la formation .... par des professeurs du second degré.

Les élèves .... à 15-16 ans, et .... des cours pour passer le baccalauréat. La dernière année .... l'année de formation professionnelle.

Mais ces quatre ou cinq dernières années, on .... des étudiants qui .... le DEUG, c'est-à-dire Bac + 2.

1991 .... la création des IUFM, c'est-à-dire des Instituts Universitaires de Formation des Maîtres ; tous les élèves .... avoir la licence, c'est-à-dire Bac + 3.

L'idée maîtresse .... de constituer un corps unique de tous les enseignants du primaire et du secondaire, et ainsi de supprimer les différences de salaires et de permettre aux instituteurs d'être mieux considérés. Malheureusement, ... des problèmes. Le gouvernement ne .... pas les crédits et les locaux qui .... nécessaires. On .... d'utiliser les bâtiments des anciennes Écoles Normales avec beaucoup d'étudiants, et les formateurs .... d'horizons différents, ils .... des traditions différentes et ils .... des aspects différents de la formation.

Alors ceci .... un énorme problème à une époque où il .... de recruter de nouveaux enseignants, et de concevoir et mettre au point .... de mettre en route même des plans de formation.

Donc beaucoup de problèmes .... à résoudre.

Forme passive / forme active

1. *Remplacez les formes passives par des formes actives.*

Exemple : La première École Normale a été créée en l'an III de la République.
On a créé la première en 1795 (La Convention thermidorienne a créé…)

a) La formation **était assurée** par d'anciens instituteurs. ....

b) Elles **ont été réouvertes** en 1945. ....

c) La formation **a été assurée par** des professeurs. ....

d) « On nous demande des tas de choses pour lesquelles **nous ne sommes pas formés**. »

....

2. *Il y a dans « Un peu d'histoire » des constructions de formes différentes qui ont le même sens :*

Exemple : On **n'enseignait pas** comme aujourd'hui la pédagogie.
La pédagogie **n'était pas enseignée** comme aujourd'hui.
La pédagogie **ne s'enseignait pas** comme aujourd'hui.

À vous d'exprimer autrement les phrases suivantes :

a) La formation **se faisait** dans des écoles annexées aux E.N. ....

b) **On appelait** ces écoles des écoles annexes. ....

c) La question **se posait** beaucoup moins qu'aujourd'hui. ....

d) On **a recruté** des étudiants qui avaient le DEUG. ....

3. *Peut-on transformer de la même façon les phrases suivantes ?*
On est obligé d'utiliser les bâtiments des anciennes écoles.
Il est urgent de recruter de nouveaux enseignants.

Justifiez votre réponse.

Phase VII : Réévoquer

Cf. Fiche d'activités p. 12

Phase VIII : S'exprimer librement

Votre point de vue

a) Quelles questions aimeriez-vous poser à Christèle ? et à Monsieur Samson ?
b) Quelle formation avez-vous suivie pour devenir instituteur/institutrice ?
c) Expliquez le système de formation des maîtres en vigueur dans votre pays.
d) Connaissez-vous l'histoire de la formation des maîtres dans votre pays ?
Y a-t-il eu des changements récents ? Que pensez-vous de ces derniers ?
e) Faites une évaluation de votre formation ? En êtes-vous satisfait(e) ?

Jeux de rôle

a) Un étudiant(e) de l'IUFM de votre ville fait son stage dans votre école. A la fin du stage, il /elle demande une réunion avec un ou deux enseignants, un ou deux formateurs de l'IUFM, et le chef de l'établissement pour faire part de ses problèmes, poser des questions, etc.

b) Faut-il réformer les instituts de formation des maîtres dans votre pays ? La question est débattue par un comité qui comprend des enseignants, des formateurs, des inspecteurs, des délégués syndicaux et bien sûr des étudiants.

Phase IX : Lire pour en savoir plus

Le parcours en IUFM

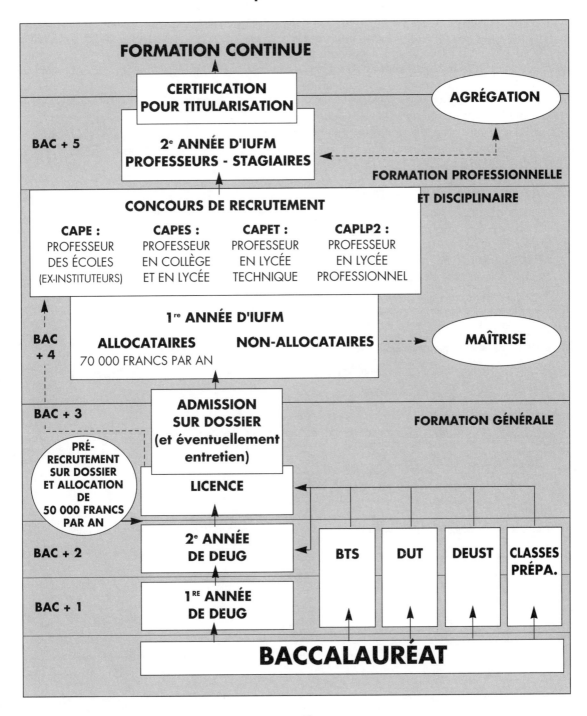

FORMATION CONTINUE

CERTIFICATION POUR TITULARISATION

AGRÉGATION

BAC + 5

2e ANNÉE D'IUFM PROFESSEURS - STAGIAIRES

FORMATION PROFESSIONNELLE ET DISCIPLINAIRE

CONCOURS DE RECRUTEMENT

| **CAPE :** | **CAPES :** | **CAPET :** | **CAPLP2 :** |
| PROFESSEUR DES ÉCOLES (EX-INSTITUTEURS) | PROFESSEUR EN COLLÈGE ET EN LYCÉE | PROFESSEUR EN LYCÉE TECHNIQUE | PROFESSEUR EN LYCÉE PROFESSIONNEL |

1re ANNÉE D'IUFM

BAC + 4

ALLOCATAIRES 70 000 FRANCS PAR AN

NON-ALLOCATAIRES

MAÎTRISE

ADMISSION SUR DOSSIER (et éventuellement entretien)

BAC + 3

FORMATION GÉNÉRALE

PRÉ-RECRUTEMENT SUR DOSSIER ET ALLOCATION DE 50 000 FRANCS PAR AN

LICENCE

BAC + 2

2e ANNÉE DE DEUG

BTS | **DUT** | **DEUST** | **CLASSES PRÉPA.**

BAC + 1

1RE ANNÉE DE DEUG

BACCALAURÉAT

Toutes les académies ont leur institut universitaire de formation des maîtres (IUFM). La mise en place sur tout le territoire de ces nouveaux établissements, chargés de la formation des enseignants des premier et second degrés, modifie les conditions d'accès au métier.

Ouvertes aux étudiants titulaires d'une licence sélectionnés sur dossier (et éventuellement après entretien), les études à l'IUFM durent deux ans. Selon les besoins du recrutement, certains élèves peuvent bénéficier, à l'entrée à l'IUFM, d'une allocation : 5 630 allocations sont inscrites au budget, pour la prochaine année scolaire, dont 3 150 pour le premier degré. Celles-ci s'élèvent à 70 000 francs pour l'année. L'allocataire s'engage à préparer à l'IUFM le concours de recrutement, situé entre les deux années de formation, et à se représenter une fois au concours en cas d'échec. Les non-allocataires, qui sont majoritaires, suivent le même cursus.

Dès leur entrée à l'IUFM, les élèves doivent choisir entre la préparation au métier de professeur d'école (ex-instituteur) ou à celui de professeur de collège et de lycée.

À l'issue de leur première année de formation – disciplinaire et professionnelle – les élèves passent les concours correspondant à la branche d'enseignement qu'ils ont choisie : CAPE, CAPES, CAPET, CAPEPS ou CAPL P2[1].

Ces concours comportent, à partir de la session de 1992, une épreuve destinée à vérifier les compétences professionnelles des candidats. Ils sont organisés à l'échelle académique pour les professeurs d'école, au niveau national pour les enseignants du second degré. Tout titulaire d'une licence ou d'un diplôme équivalent peut également se présenter. Les étudiants admis aux concours entrent en deuxième année d'IUFM. Ils deviennent professeurs stagiaires et sont rémunérés comme tels. La formation, théorique et pratique, inclut un certain nombre de stages sur le terrain. À la fin de cette deuxième année interviennent la certification et la titularisation.

1. CAPE : certificat d'aptitude au professorat des écoles.
CAPES : certificat d'aptitude au professorat de l'enseignement secondaire.
CAPET : certificat d'aptitude au professorat de l'enseignement technique.
CAPEPS : certificat d'aptitude au professorat d'éducation physique et sportive.
CAPL P2 : certificat d'aptitude au professorat des lycées professionnels deuxième grade.

D'après le *Monde de l'Éducation*, juin 1991.

Phase X : Réutiliser et transposer dans la salle de classe

En quoi cette unité vous est-elle utile
1. pour communiquer en français dans la salle de classe ?
2. pour proposer des activités aux enfants ?

Confrontez vos idées à celles de votre groupe, et / ou aux suggestions du Guide d'utilisation.

L'avenir le dira

S é q u e n c e   1
Bulletin météo

- - - - - - - - - - - - - - -

S é q u e n c e   2
Projets de vacances

Objectifs spécifiques

– Savoir situer les villes et les régions de France.
– Parler du temps qu'il fera.
– Exprimer des projets d'avenir

Faites les phases I, II et III pour chacune des séquences, puis passez aux phases suivantes qui s'appliquent aux deux séquences.

Phase I : Visionner et réagir

Cf. Fiches d'activités p. 10

Phase II : Allier l'oral et l'écrit – écouter, lire, écrire

Cf. Fiches d'activités p. 11

Phase III : Exprimer la compréhension globale

Résumez brièvement chaque séquence, oralement ou par écrit (en français ou dans votre langue maternelle).
Confrontez votre résumé à ceux du groupe ou au résumé fourni à titre d'exemple dans le Guide d'utilisation.

Phase IV : Préciser l'observation et la compréhension

Des activités spécifiques sur l'oral et les relations oral-écrit sont regroupées p. 124
Elles peuvent être faites avant ou après les activités ci-dessous.

 Séquence 1 : Bulletin météo

1. *Cochez les noms des départements, provinces et régions qui sont mentionnés.*

Alsace	Champagne	Lorraine
Alpes	Charentes	Massif Central
Aquitaine	Corse	Nord-Pas-de-Calais
Ardennes	Côte d'Azur	Normandie
Auvergne	Dordogne	Pays-Basque
Bassin Parisien	Ile-de-France	Pays de la Loire
Bourgogne	Franche-Comté	Poitou
Bretagne	Languedoc Roussillon	Provence
Centre	Limousin	Pyrénées

2. *Faites la liste des villes mentionnées. Savez-vous dans quelles régions elles se trouvent ?*

....

....

3. *Quel temps fera-t-il sur la Provence, la côte d'Azur et la Corse ?*

....

....

4. *Pourquoi les températures prévues pour la journée du lendemain vont-elles baisser?*

....

....

5. *Résumez les prévisions pour le reste de la semaine.*

....

....

B Séquence 2 : Projets de vacances

1. *Résumez les projets de chaque enseignant.*

   Exemple : Jean Dard va partir en caravane avec sa femme dans les gorges de
   l'Aveyron et en Bretagne.

   a) Béatrice ....

   b) Isabelle S. ....

   c) Christine ....

   d) Josiane ....

   e) Isabelle T. ....

   f) Pierre ....

   g) Jean-Luc ....

2. *Faites la synthèse de toutes les informations concernant ces divers projets sous
   forme d'un bref compte rendu. (Combien vont à l'étranger ? Combien restent en
   France ? Quelles sont les destinations les plus populaires ? Que semblent recher-
   cher les enseignants ? etc.)*

Phase V : Comprendre et réutiliser le lexique

A Constituez votre propre glossaire

*Pour chaque thème, retrouvez le lexique utilisé dans les séquences puis ajoutez le
plus de termes possibles.*

1. Le bulletin météo :

   une averse, ...

2. Les points cardinaux :

   le nord, ...

3. Les projets de vacances :

   camper, faire du camping, ...

B Pour situer dans le temps

Faites une liste des adverbes et des locutions pour situer dans le temps (futur) :

Demain, ...

C Le français de la télévision

Le français des présentateurs de la télévision est un français qui mélange les variétés de langues.
Trouvez dans le bulletin météo des exemples d'expressions caractéristiques de :

1. La langue technique :

   un ciel de traîne, ...

2. La langue littéraire :

   de belles périodes d'ensoleillement, ...

3. Le registre familier / la langue parlée :

   alors voici la carte, ...

Phase VI : Comprendre et réutiliser les structures

A L'expression du futur

Séquence 1 : Bulletin météo

1. Rétablissez les verbes

On retrouve cette perturbation du nord jusqu'au Bassin Parisien, le Centre et le Massif Central où elle .... quelques orages, des pluies orageuses donc, sur le relief, et puis à l'arrière déjà un ciel de traîne, une traîne qui .... très active, c'est-à-dire qu' on .... les averses sur le quart nord-ouest du pays.

Les nuages .... assez nombreux mais il y .... aussi de belles périodes d'ensoleillement et une traîne un peu plus active des Charentes jusqu'au Pays Basque où là les averses .... assez nombreuses et .... fréquemment interrompre les quelques éclaircies.

(...) Les températures prévues pour demain .... des températures qui le matin .... une très très nette baisse.

(...) Il .... 11° à Brest ainsi qu'à Cherbourg et sur la moitié sud 7 à 13°. L'après-midi, le thermomètre .... 15 à 17° sur la moitié nord.

(...) On termine avec la tendance de la semaine, sachant qu'... une baisse qui .... au fil des jours ; (...) à l'est, le temps .... très nuageux.

On finit bien sûr avec l'éphéméride : demain nous .... le lundi 14
octobre, nous .... les Justes. Le soleil .... à 7h10 et
.... à 18h03.

(...) Moi, je .... dans quelques jours.

2. Indiquez les trois formes qui permettent d'évoquer une action future.

....

Séquence 2 : Projets de vacances

3. Rétablissez les verbes.

Jean Dard : Alors cet été je .... à (...) en caravane comme j'étais
l'an dernier. Je .... dans les gorges de l'Aveyron...

Béatrice : Et bien cet été je .... un mois sur le bord de l'Atlantique
à l'île de Noirmoutier avec les enfants...

Isabelle S : Cet été j'...................................... au Brésil, mais c'est encore sous forme
de projet. De façon plus concrète, je .... un séjour dans la
Drôme...

Christine : Alors cet été j'ai des projets de vacances. Je .... peut-être en
Italie j'...................................... quelques jours à la campagne, et je
.... voir ma sœur sur la Côte d'Azur.

Josiane : Alors cet été je vais certainement... enfin ce n'est qu'un projet. Je
.... de passer une semaine au bord de la Mer Noire.

(...) je pense que le reste du temps je .... ça.

Isabelle T : Cet été j'...................................... en Corse, je ....
une belle maison au bord de la mer qui m'a été .... enfin qui me
.... par un ami à un prix intéressant, dans un endroit tout
à fait merveilleux et où je .... essentiellement et où je
.... de la musique j'y .... avec des
amis musiciens. Voilà.

– Avec vos enfants également ?

– Avec mes enfants, et ensuite au mois d'août je .... une
colonie musicale sans doute dans les Alpes du Sud où là j'......................................

la flûte certainement et le chant, le matin, à des enfants. L'après-midi, les enfants .... du cirque. Voilà.

Pierre : Cet été nous .... trois semaines dans le Jura. Puis alors là je peux vous donner à peu près le programmme complet. Puis nous .... une semaine à Vendeuvre en Touraine, c'est-à-dire dans la région Centre de la France... à la suite de quoi, nous .... une partie sur la Côte d'Azur...

Jean-Luc : Cet été je .... un voyage dans les Pays de la Loire.

4. *Faites la liste des verbes exprimant un projet ou une intention. En connaissez-vous d'autres ? Que peut-on dire quand on ne sait pas ce que l'on va faire ?*

5. *Soulignez les terminaisons du futur dans les verbes que vous avez rétablis (après vérification dans le Guide d'utilisation si nécessaire). À partir de ce travail, pouvez-vous deviner les terminaisons des formes absentes si vous ne les connaissez pas ?*

   Exemple : je par**tirai**, tu parti__
   nous passe**rons**, vous passe__

6. *Mettez les verbes entre parenthèses au futur.*

   Exemple : J'**irai** au cinéma demain soir (aller).

   a) Je .... le train pour y aller. (prendre)

   b) Ils .... une randonnée dimanche prochain. (faire)

   c) Nous ne .... pas partir en Espagne cet été. (pouvoir)

   d) Vous .... attendre un peu. (devoir)

   e) Il .... probablement cet après-midi. (pleuvoir)

   f) Je .... content de la voir la semaine prochaine. (être)

   g) Est-ce que tu .... le temps de le faire ? (avoir)

   h) Ils .... peut-être rester plus longtemps. (vouloir)

   i) On .... dans une semaine. (venir)

   j) Vous le .... bientôt. (voir)

7. *Observez les exemples donnés : que remarquez-vous quant à l'emploi des temps (présent et futur) ?*

   Jean Dard **ira** en Bretagne **quand il sera** en vacances.
   pendant que sa fille ira à Paris.
   dès qu'il aura le temps.
   si sa femme **veut** venir avec lui.

Mettez les verbes donnés entre parenthèses au temps voulu :

Exemple : Béatrice partira à Noirmoutier quand elle **sera** en vacances. (être)

a) Je me reposerai quand j'............................ dans la Drôme. (arriver)

b) Béatrice sera en vacances pendant que son mari .... (travailler)

c) Isabelle se reposera si elle .... en Corse. (aller)

d) Je te téléphonerai dès que je le .... (pouvoir)

e) Elle enseignera la flûte pendant que ses enfants .... du cirque. (faire)

f) Isabelle partira au Brésil si elle .... assez d'argent. (avoir)

g) Jean-Luc fera des préparations quand il le .... (falloir)

h) Elle fera du kanoë kayak s'il ne .... pas. (pleuvoir)

i) Transmets-lui mes amitiés quand tu le .... (voir)

j) Il m'enverra les documents dès qu'il les .... (recevoir)

8. *Observez les exemples suivants :*

a) Je terminerai mon travail (1) puis j'irai (2) au cinéma.
J'irai au cinéma quand **j'aurai terminé** mon travail.

b) J'attendrai qu'elle parte (1) puis je te téléphonerai (2).
Je te téléphonerai dès qu'**elle sera partie**.

c) Ne vous inquiétez pas : il **aura** probablement **oublié** de vous le dire.

Le futur antérieur sert à exprimer l'antériorité d'une action future par rapport à une autre a)
et b) ; il peut aussi permettre d'émettre une explication hypothétique c).

Mettez les verbes entre parenthèses au futur antérieur.

a) Il partira en Bretagne dès qu'il .... dans les gorges de l'Aveyron. (aller)

b) Nous vous ferons un rapport quand nous la .... (voir)

c) Pierre et sa famille descendront sur la Côte d'Azur quand ils .... de
Touraine. (revenir)

d) Ils enseigneront le français dès qu'ils .... un stage en France. (faire)

e) Nous passerons au conditionnel quand nous .... le futur. (terminer)

f) Vous le ferez lorsque vous .... (se reposer)

g) Si elle ne répond pas, c'est qu'elle .... (sortir)

h) La lettre ? Je suis sûr qu'il la .... maintenant. (recevoir)

9. Transposez au futur les phrases suivantes.

Exemple : Il y a une semaine, je suis allé à Paris.
Dans une semaine, j'irai à Paris.

a) **Hier, j'ai dû** aller chez le docteur. ....

b) Avant-hier, elle **a pu** se reposer. ....

c) **La semaine dernière,** vous **avez vu** l'inspecteur. ....

d) **Cet été,** ils **sont allés** en Bretagne. ....

e) **Il y a un** mois, nous **avons fait** un voyage avec les élèves. ....

 ## L'explication

1. Étudiez la phrase suivante :

« Les températures prévues pour demain seront des températures qui, le matin, vont accuser une très nette baisse. **Pourquoi ? Parce qu'**il y aura moins de nuages au nord-est du pays, **si bien que** la chaleur accumulée aujourd'hui va s'évaporer plus facilement. »
Parce que exprime la cause, et **si bien que** la conséquence.

Sur le même modèle, remettez dans l'ordre et coordonnez les trois phrases suivantes :

Les enseignants du primaire vont pouvoir intégrer une langue vivante dans le cursus.
Les enseignants du primaire vont suivre des stages de formation en langues.
Les élèves vont pouvoir apprendre une langue étrangère avant d'aller au collège.

....

2. Écrivez deux autres courts paragraphes en reprenant le même modèle.

....

Phase VII : Réévoquer

Cf. Fiche d'activités p. 12

Phase VIII : S'exprimer librement

 ## Votre point de vue

1. Que ferez-vous demain ?
samedi et dimanche prochains ?
pendant les prochaines vacances ?
cet été ?
Donnez le plus de détails possibles.

2. Quand serez-vous à la retraite ? Que ferez-vous alors ?

Essayez d'imaginer ce que sera votre vie.

3. Le vingt-et-unième siècle : comment l'imaginez-vous ? Comment sera votre pays ? le monde ?

B Jeux de rôle

1. Vous organisez un voyage scolaire ou une classe de découverte : vous expliquez le programme aux parents et aux élèves.
2. Votre école célèbre toujours la fin de l'année scolaire par une fête : un comité se réunit pour soumettre des propositions, organiser des activités, répartir les tâches.
Il sera important de prévoir toutes les éventualités : beau temps, temps froid, pluie.
(S'il fait beau / s'il fait froid / s'il pleut...)

PHASE IX : Lire pour en savoir plus

Les grandes vacances des Français

Pour beaucoup de Français les « vraies vacances » restent celles de l'été. Le soleil de la mer ou de la campagne vient récompenser onze mois d'efforts, de contraintes, voire de frustrations.

Pour être réussies, les vacances doivent donc marquer une rupture avec la vie quotidienne : farniente, bronzage, gastronomie, fête et insouciance...
C'est pourquoi 55,6 % des Français sont partis en vacances pendant l'été en 1991.

Comme pour les vacances d'hiver, les différences entre catégories sociales sont marquées. Les cadres supérieurs et les membres des professions libérales sont proportionnellement trois fois plus nombreux à partir que les agriculteurs.
Les habitants des grandes villes (surtout Paris et son agglomération) partent plus que ceux des petites agglomérations.

Mais tous ne partent pas !
Malgré l'accroissement global du taux de départ, près de la moitié des Français ne partent pas en vacances d'été, et un quart ne partent jamais. Certains parce qu'ils hésitent à se mêler à la foule des vacanciers, d'autres parce qu'ils ont des travaux à faire, un autre métier à exercer, ou parce qu'ils ne disposent pas de moyens financiers suffisants.
De tous les Européens, les Français sont les plus nombreux à partir plusieurs fois dans l'année (27 % contre 19 % pour l'ensemble de la CEE).
Cela est dû aux cinq semaines de congés légaux, ainsi qu'aux incitations à fractionner les congés, et à l'étalement des nombreux congés scolaires.

Les Français restent presque tous en France !
87 % des vacanciers sont restés en France en 1991. Cette très forte proportion ne varie guère dans le temps, malgré la baisse des prix des transports aériens et les invitations au voyage et à l'exotisme. On peut citer au moins trois raisons à ce phénomène.
La première est la richesse touristique de la France, avec sa variété de paysages et son patrimoine culturel. La deuxième est le caractère plutôt casanier et peu aventurier des Français. La troisième est dûe aux contraintes financières qui limitent de manière croissante le budget des vacances.

Mais alors, où vont-ils en vacances ?

En France, les plages de la Méditerranée et de la côte atlantique accueillent à elles seules les 2/3 des vacanciers du littoral. Les séjours à la campagne et à la montagne représentent 22 % et 13 % des séjours.

12 % d'entre eux sont partis à l'étranger, principalement dans la Péninsule Ibérique et au Maghreb. Cette proportion est nettement inférieure à celle des autres pays d'Europe : 64 % des Néerlandais, 60 % des Allemands, 56 % des Belges, 51 % des Irlandais, 44 % des Danois et 35 % des Anglais partent en vacances dans un autre pays.

Pour y faire quoi ?

Pour beaucoup de Français, les vacances restent une occasion privilégiée pour se reposer, se « changer les idées », « recharger les batteries », avant une nouvelle année de travail.

Ce sont les activités sportives les plus pratiquées : les sports nautiques mais aussi l'escalade ou le parapente, le cyclisme avec le VTT (Vélo Tout Terrain). Après le tennis, le golf attire un nombre croissant de vacanciers stagiaires.

Mais les activités culturelles sont aussi recherchées : les vacanciers sont de plus en plus nombreux à vouloir s'initier à l'informatique, à la pratique d'un instrument de musique, à la dégustation des vins ou à la découverte du patrimoine.

Pour beaucoup, l'équilibre de la vie ne peut résider dans le contraste entre des occupations opposées, mais, au contraire, dans une plus grande intégration de chacune dans le quotidien.

Les congés payés : une conquête sociale récente !

1936 : Tous les salariés obtenaient deux semaines de congés par an.

1956 : Obtention d'une troisième semaine.

1969 : Puis d'une quatrième semaine...

1982 : Et enfin d'une cinquième semaine.

Beaucoup de Français, par le jeu de conventions particulières ont en fait six semaines de congés annuels. La France arrive en seconde position dans le monde pour la durée annuelle des vacances, derrière l'Allemagne.

Les congés scolaires sont répartis au rythme de 10 à 15 jours toutes les sept semaines de classe, auxquelles s'ajoutent les 7 à 8 semaines de congé d'été. Ce qui fait environ 16 à 17 semaines de jours fériés pour un enseignant de l'école élémentaire.

D'après Gérard Mermet, *Francoscopie 1993*, © Larousse 1992.

Phase X : Réutiliser et transposer dans la salle de classe

En quoi cette unité vous est-elle utile
1. pour communiquer dans la classe en réutilisant les structures ?
2. pour proposer des activités aux enfants sur les thèmes spécifiques de l'unité ?

Confrontez vos idées à celles de votre groupe, et / ou aux suggestions du Guide d'utilisation.

La vie avec des si

S é q u e n c e   1
Si j'étais ministre de l'Éducation nationale.
- - - - - - - - - - - - - - - -
S é q u e n c e   2
Si je n'avais pas été instit'.

Objectifs spécifiques

– Parler des conditions de travail dans l'enseignement.
– Émettre des hypothèses, des souhaits, des suggestions ou des opinions.
– Rapporter une information ou un discours.
– Employer le conditionnel présent et passé.

Faites les phases I, II et III pour chacune des séquences, puis passez aux phases suivantes qui s'appliquent aux deux séquences.

Phase I : Visionner et réagir

Cf. Fiches d'activités p. 10

Phase II : Allier l'oral et l'écrit – écouter, lire, écrire

Cf. Fiches d'activités p. 11

Phase III : Exprimer la compréhension globale

Résumez brièvement chaque séquence, oralement ou par écrit (en français ou dans votre langue maternelle).
Confrontez votre résumé à ceux du groupe ou au résumé fourni à titre d'exemple dans le Guide d'utilisation.

Phase IV (première partie) : Préciser l'observation et la compréhension

Des activités spécifiques sur l'oral et les relations oral-écrit sont regroupées p. 124
Elles peuvent être faites avant ou après les activités ci-dessous.

Séquence 1 : Si j'étais ministre de l'Éducation nationale.

1. *Écoutez les vœux exprimés par les enseignants : quels sont-ils ?*
   Christine : réduire les effectifs de classe
   donner un poste de soutien dans chaque école

   Jean-Luc : ....

   Béatrice : ....

   Isabelle : ....

   Alain : ....

   Michel : ....

   Christèle : ....

2. *Quelques problèmes sont mentionnés directement : lesquels ?*

Séquence 2 : Si je n'avais pas été instit'.

1. *Indiquez ce qu'ils auraient fait :*

   Christèle : ....

   Farida : ....

   Josiane : ....

   Alain : ....

Phase V : Comprendre et réutiliser le lexique

Les conditions de travail des enseignants

*Cette unité contient un certain nombre de termes ou expressions plus ou moins spé-
cialisés ; trouvez des synonymes ou des paraphrases pour expliquer les expressions suivantes :*

Exemple : restructurer le temps de travail des enfants → changer les rythmes scolaires

a) réduire les effectifs des classes ....

b) donner des postes de soutien ....

c) mieux payer les instituteurs ....

d) subir une crise du recrutement ....

e) modifier les horaires scolaires ....

f) encourager la mobilité à l'intérieur de l'école ....

g) augmenter l'effectif des enseignants ....

h) avoir plus d'ouverture sur le monde extérieur ....

i) ne pas perdre le contact avec le réel ....

j) faire un remplacement ....

B La formation des adverbes

1. Les enseignants emploient un certain nombre d'adverbes.
   De quels adjectifs les adverbes suivants sont-ils dérivés ?

   Exemples : vraiment   ← vrai
              totalement   ← total
              indépendamment   ← indépendant

   a) absolument ....   b) pratiquement ....

   c) publiquement ....   d) certainement ....

   e) particulièrement ....   f) brièvement ....

   g) malheureusement ....   h) essentiellement ....

   i) couramment ....   j) apparemment ....

2. Maintenant, formez l'adverbe à partir de l'adjectif :

   Exemples : probable → probablement
              sûr   → sûrement

   a) final ....   b) habituel ....

   c) entier ....   d) curieux ....

   e) effectif ....   f) approximatif ....

   g) long ....   h) évident ....

   i) fréquent ....   j) méchant ....

Phase VI : Comprendre et réutiliser les structures

A Exprimer des hypothèses

1. Complétez (de mémoire ou en revisionnant le document) :
   Séquence 1: Si j'étais ministre de l'Éducation nationale

   Christine :   La première chose que je ...., ce .... de

réduire les effectifs de classe (...). Déjà avec ça on ....
faire d'autres choses.

Jean-Luc : Je pense que le ministre .... penser à ses enseignants...

Béatrice : Si j'........................ ministre de l'Éducation nationale, je ....
totalement le temps de travail des enfants, (...) donc je pense que d'abord je
.... les horaires scolaires.

Isabelle : Je crois qu'une des premières choses que je .... changer, c'est
le nombre d'élèves par classe. Et une deuxième chose que j'.............................
faire comprendre, c'est la mobilité des enseignants à l'intérieur des écoles...

Alain : Je crois que j'............................. mes efforts pour que l'école s'ouvre davantage
sur le monde extérieur (...) mais je .... quand même à coup sûr
les effectifs ! Ceci donc voudra .... dire augmenter l'effectif des
enseignants aussi.

Michel : Grave question! Bon, si j'............................ ministre de l'Éducation nationale (...)
je crois que j'............................ de ne pas perdre le contact avec le réel, et
pourquoi pas, .je .... un remplacement pendant un mois
dans mon année, ce .... peut-être pas une mauvaise idée !

Christèle : Ministre non, ça .... pas du tout...

Séquence 2 : Si je n'avais pas été instit'

Christèle : Si je .... institutrice, j'............................ chanteuse de
rock, voilà!

Farida : Si je .... institutrice, je crois bien que j'............................
être comédienne. J'............................ des gens fabuleux, j'............................
des voyages très intéressants, j'............................ des textes extraordinaires,
particulièrement des tragédies, et j'............................ l'atmosphère du théâtre
avant les représentations.

Alain : Si je .... enseignant... je crois que... Ah j'............................
être explorateur !

2. *Soulignez les terminaisons du conditionnel présent, et les formes du conditionnel
passé dans les verbes que vous avez rétablis (après vérification dans le Guide
d'utilisation si nécessaire). À partir de ce travail, pouvez-vous deviner les terminaisons des formes absentes si vous ne les connaissez pas ?*

je fe**rais**,	ce se**rait**,	vous fe**riez**
tu fe......	nous se......	ils fe.......

3. *Mettez les phrases suivantes au conditionnel présent, puis au conditionnel passé :*

Exemple : je peux le faire   je pourrais le faire
                             j'aurais pu le faire

a) Elle est chanteuse de rock. ....

b) Il va au théâtre. ....

c) Nous passons devant la mairie. ....

d) Vous passez une semaine à Paris. ....

e) Ils restent chez eux. ....

f) Tu viens avec moi ? ....

g) Je dois y aller. ....

h) Elles le savent. ....

i) Vous ne la voyez pas. ....

j) Je le fais. ....

4. *Quels sont les deux temps employés après* **si** *dans les titres des deux sections ?*
Mettez les verbes entre parenthèses aux temps voulus :

Exemples : Je travaillerais en décloisonné si je **pouvais**. (pouvoir)
             J'aurais travaillé en décloisonné si j'**avais pu**. (pouvoir)

a) J'irais au cinéma si j'.................................. (avoir le temps)

b) Je serais allé au cinéma si j'.................................. (avoir le temps)

c) Il sortirait s'il .... (faire beau)

d) Il serait sorti s'il .... (faire beau)

e) Nous travaillerions en décloisonné si nous .... (pouvoir)

f) Il aurait été explorateur s'il .... instituteur. (ne pas être)

g) Je serais venu si je .... (savoir)

h) Vous rencontreriez le ministre si vous .... (venir)

i) Elle irait en France si elle .... quelqu'un là-bas. (connaître)

j) Je ne vous aurais pas demandé de répéter si je .... (comprendre)

B Exprimer des souhaits, des suggestions, ou des regrets

1. « J'aimerais /je voudrais avoir moins d'élèves par classe ».
« Le ministre devrait penser à ses enseignants ».

Le conditionnel permet d'émettre un souhait ou une opinion et de suggérer des idées ou des solutions. À vous de suggérer des solutions sans être trop abrupt :

Exemple : Je veux avoir moins d'élèves dans ma classe.
             Je voudrais avoir moins d'élèves dans ma classe.

a) On doit réduire les effectifs. ....

b) Le ministre peut modifier les horaires scolaires. ....

c) Il faut augmenter les salaires des enseignants. ....

d) Il vaut mieux arrêter les cours à 15 heures. ....

e) On fait mieux de recruter plus d'enseignants. ....

f) Il est bon d'avoir la possibilité de bouger à l'intérieur de l'école. ....

g) C'est une bonne idée de restructurer le temps de travail des enfants. ....

h) Je veux voir plus d'ouverture sur le monde extérieur. ....

i) Nous souhaitons travailler en décloisonné. ....

j) Ils peuvent consulter les enseignants plus souvent. ....

2. *Le conditionnel passé est souvent le mode du regret. Pouvez-vous maintenant prendre du recul et, en reprenant les exemples de l'exercice précédent, dire ce que vous auriez voulu faire, ce que vous auriez souhaité.*

Exemple : Je voudrais avoir moins d'élèves dans ma classe.
J'aurais voulu avoir moins d'élèves dans ma classe.

C Rapporter une information

1. *Le conditionnel est souvent utilisé pour introduire un élément de doute ou une certaine réserve dans la présentation d'une information.*

Exemple : Selon les enseignants interviewés, il y aurait trop d'élèves par classe (les effectifs seraient trop chargés).

À vous d'écrire 5 phrases sur le même modèle, pour montrer ce qui ne va pas dans le monde de l'Éducation nationale :

Selon certains instituteurs, ...

....

....

....

2) *Dans le cas d'un discours rapporté, c'est-à-dire du discours indirect, le conditionnel est en fait un futur dans le passé :*

Exemples : Je lui ai dit : « j'irai demain ».   Il m'a demandé : « tu viendras ? »
Je lui ai dit que j'irais demain.   Il m'a demandé si je viendrais.

Transformez les phrases suivantes :

a) Elle m'a dit : « je viendrai cet été ». ....

b) Je lui ai demandé : « tes parents seront chez eux ? ». ....

c) Nous lui avons promis : « nous pourrons le faire ». ....

d) Vous m'avez bien dit : « j'irai à Paris ? » ....

e) Il a dit : « je le ferai quand j'aurai terminé ça ». ....

f) Ils ont demandé : « nous pourrons travailler en décloisonné ? » ....

g) Vous avez écrit : « cela vaudra mieux! ». ....

h) Elle a annoncé : « on pique-niquera s'il fait beau ». ....

3) *Observez la concordance des temps dans le contexte indiqué ci-dessous : que remarquez-vous quand à l'emploi des temps après **quand, pendant que, dès que** etc. ?*

Il a décidé qu'il irait en Bretagne **quand** il serait en vacances
pendant que sa fille irait à Paris
dès qu'il aurait le temps
quand son frère serait revenu
aussitôt qu'il aurait vu sa sœur

Phase VII : Réévoquer

Cf. Fiche d'activités p. 12

Phase VIII : S'exprimer librement

A **Votre point de vue**

1. Et vous, que feriez-vous si vous étiez ministre de l'Éducation ?
Classez les souhaits des enseignants français par ordre d'importance pour vous. Auriez-vous d'autres suggestions à faire ?

2. Quelles conclusions peut-on tirer des réponses des instituteurs ? Faites un exposé ou un rapport sur les conditions de travail dans les écoles primaires françaises. Comparez avec la situation dans votre pays.

3. Un ministre de l'Éducation idéal : comment serait-il ? Faites son portrait.

4. Qu'auriez-vous fait si vous n'aviez pas enseigné ? Avec qui est-ce que vous vous identifiez le plus ?

5. Farida dit qu'être institutrice, c'est aussi être comédienne. Qu'en pensez-vous ?

Jeu de rôles

Les conditions de travail s'étant dégradées dans votre école, une réunion est organisée pour décider si oui ou non les enseignants doivent faire grève, c'est-à-dire arrêter le travail : beaucoup de suggestions sont émises et les points de vue sont très contrastés.

Phase IX : Lire pour en savoir plus

La relève semblerait être assurée

Michel Lacaze, psychologue scolaire a demandé aux jeunes élèves ce qu'ils feraient si à leur tour ils étaient maître ou maîtresse de cours préparatoire.

Maître ou maîtresse de CP, voilà comment ces enfants se comporteraient :

Camille : « Je tirerais l'oreille de ceux qui n'ont pas compris. Je leur dirais qu'ils sont là pour apprendre à lire, et je mettrais au coin ceux qui diraient que ça ne sert à rien. »

Anne : « Je serais maîtresse de grande ou de petite école ou des deux. On pourrait être dans la grande une semaine, dans la petite une autre. »

Nicolas : « Aux élèves je ferais voir un mot, je leur dirais une lettre puis une autre lettre et peut-être après ils sauraient lire. »

Camille : « Un élève qui ne comprendrait pas, je lui ferais un dessin. »

Émilie : « Moi, je ferais des groupes. Comme ça on a plus de place dans la classe pour circuler. »

D'après *Le Monde de l'Éducation*, octobre 1991.

Phase X : Réutiliser et transposer dans la salle de classe

En quoi cette unité vous est-elle utile
1. pour communiquer dans la classe en réutilisant les structures ?
2. pour proposer des activités aux enfants sur les thèmes spécifiques de l'unité ?

Confrontez vos idées à celles de votre groupe, et/ ou aux suggestions du Guide d'utilisation.

Les rythmes scolaires

S é q u e n c e   1
Mercredi ou samedi libre ?

- - - - - - - - - - - - - - - -

S é q u e n c e   2
Des journées trop longues.

- - - - - - - - - - - - - - - -

S é q u e n c e   3
Post-scriptum.

O bjectifs spécifiques

– Parler des rythmes scolaires.
– Reconnaître l'importance du subjonctif dans la langue courante.
– Remettre en question le terme « instituteur ».

Faites les phases I, II et III pour chacune des séquences, puis passez aux phases suivantes qui s'appliquent aux trois séquences.

Phase I : Visionner et réagir

Cf. Fiche d'activités p. 10

Phase II : Allier l'oral à l'écrit – écouter, lire, écrire

Cf. Fiche d'activités p. 11

Phase III : Exprimer la compréhension globale

Résumez brièvement chaque séquence, oralement ou par écrit (en français ou dans votre langue maternelle). Confrontez votre résumé à ceux du groupe ou au résumé fourni à titre d'exemple dans le Guide d'utilisation.

Phase IV (Première partie) : Précisez l'observation et la compréhension

Des activités spécifiques sur l'oral et les relations oral-écrit sont regroupées p. 124
Elles peuvent être faites avant ou après les activités ci-dessous.

Séquence 1 : Mercredi ou samedi libre ?

1. Pourquoi le mercredi est-il jour de congé en France ?

2. Résumez les préférences de :

   Isabelle T : ....

   Farida : ....

   Anita : ....

   Christine : ....

   Béatrice : ....

3. Quelle est la proportion d'enseignants en faveur du samedi matin ? Qui a la majorité ?

4. Quelles sont les raisons données par les enseignantes pour justifier leur choix.

   Isabelle T : ....

   Farida : ....

   Anita : ....

   Christine : ....

   Béatrice : ....

Séquence 2 : Des journées trop longues

1. De quelle heure à quelle heure certains enfants restent-ils à l'école ?

2. Combien de temps passent-ils donc à l'école ?

3. Est-ce qu'ils travaillent pendant tout ce temps-là ?

4. Pourquoi la mairie a-t-elle mis en place ce type d'accueil ?

Séquence 3 : Post-scriptum

1. Comment vont s'appeler les nouveaux instituteurs ?

2. Que reflète ce nouveau nom ?

3. Qui va continuer à être « instituteur » ?

PHASE V : Comprendre et réutiliser le lexique

 Constituez votre propre glossaire

Pour chaque thème, retrouvez le lexique utilisé dans les deux premières séquences, puis ajoutez le plus de termes possibles.

1. Le repos :

   une coupure, ...

2. L'école et l'église :

   les autorités épiscopales, ...

B **Expressions utilisées**

Retrouvez les expressions utilisées par les enseignantes pour exprimer les idées suivantes :

un jour de repos, où on ne travaille pas   un jour de congé

l'instruction religieuse   ....

la question à laquelle je reviens toujours   ....

donner une interrogation écrite, un examen   ....

deux jours de suite   ....

Phase VI : Comprendre et réutiliser les structures

 **Observer et comprendre l'emploi du subjonctif**

1. Rétablissez les verbes :

Séquence 1 : mercredi ou samedi libre ?

a) **Isabelle S. :** – Les autorités épiscopales souhaitent que les enfants .... le mercredi matin afin qu'........................... suivre les cours au catéchisme en dehors des heures scolaires.

b) **Isabelle T :** – Non je ne souhaite pas spécialement que le samedi .... parce que c'est étonnant mais c'est la meilleure journée de la semaine. (...) Par contre je souhaiterais qu'..........................., que les après-midi .... beaucoup plus courtes.

c) **Farida :** Il serait effectivement souhaitable à mon avis que .... le samedi matin. Ça c'est mon grand cheval de bataille parce que je trouve que les enfants pourraient se reposer un week-end complet et pourraient participer avec leurs parents à des activités différentes, c'est-à-dire visiter des musées, partir en week-end, ceux qui le peuvent bien sûr, mais ceux qui restent à Paris, il serait possible qu'.. des choses intéressantes.

d) **Anita :** Pour l'instant, le rythme de la semaine me convient tout-à-fait. Je ne suis pas pour que le samedi matin .... de la semaine. Moi je pense que le samedi matin a sa place dans le rythme de la semaine, et c'est vrai que j'estime que le mercredi est une bonne coupure pour les enfants.

e) **Christine :** Je souhaiterais que .... à l'école le samedi matin, afin que les parents .... garder leurs enfants le samedi matin, ... faire différentes choses avec eux, partager un peu plus leur vie familiale. De plus, je regrette que le samedi matin .... souvent le jour où en primaire, en école primaire, on fasse* des contrôles, c'est un peu regrettable qu'.. ce jour là pour cela.

* le subjonctif ne s'impose pas ici.

f) **Béatrice :** J'aimerais effectivement que le samedi .... libre, et que .... une journée de repos pour tout le monde...

Séquence 2 : Des journées trop longues...

g) **Anita :** Les enfants peuvent rester de sept heures du matin jusqu'à dix-neuf heures le soir à l'école, et il arrive que certains enfants .... douze heures dans les mêmes locaux. Naturellement j'espère en ayant d'autres activités, mais il leur arrive de rester parfois douze heures...

2. *Soulignez dans le texte ci-dessus les formes des verbes* **avoir** *et* **être** *au subjonctif.*

3. *Soulignez les terminaisons des autres verbes au subjonctif (aller, choisir, faire, pouvoir).*
Pourriez-vous, à partir de ces quelques formes, conjuguer le verbe faire au subjonctif présent ?

4. *Encadrez les « déclencheurs » du subjonctif, c'est-à-dire les expressions, verbes ou conjonctions après lesquels on trouve le subjonctif. Essayez de les classer :*
par exemple:
a) verbes exprimant un souhait ou un regret

b) constructions impersonnelles
c) conjonctions de subordination

5. *Comparez les phrases suivantes :*

a) Nous aimerions que les enfants apprennent une langue étrangère.

Il voudrait que j'aille à Paris avec lui.

b) Nous sommes heureux que les enfants aient appris une langue étrangère.

Il est content que je sois allé à Paris avec lui.

Quelle est la différence entre a) et b)
Comment le subjonctif passé est-il formé ?

6. *Mettez les verbes suivants au subjonctif passé :*

Exemple :	avoir	que j'aie	que j'aie eu
	être	que vous soyez	que vous ....
	pouvoir	qu'il puisse	qu'il ....
	devoir	qu'elles doivent	qu'elles ....
	savoir	que je sache	que ....
	aller	qu'elle aille	qu'elle ....
	venir	qu'ils viennent	qu'ils ....
	prendre	que je prenne	que ....
	mettre	que nous mettions	que nous ....
	faire	qu'on fasse	qu'on ....
	lire	que vous lisiez	que vous ....

B Subjonctif ou indicatif ?

1. *L'expression d'un point de vue subjectif ne signifie pas toujours que le subjonctif est nécessaire. Relevez les verbes suivis de que + indicatif présent ou + conditionnel.*

Exemple : je pense que le samedi a sa place dans le rythme de la semaine.

Pouvez-vous expliquer pourquoi on trouve l'indicatif après **je pense que**, mais pas après **je ne suis pas pour que** (ou **je suis pour que**, **je souhaiterais que** etc.) :
je pense que le samedi a sa place dans le rythme de la semaine (indicatif).
et **je ne suis pas pour que** le samedi **soit** gommé de la semaine.

2. *Isabelle T. dit « Je ne souhaite pas que le samedi soit libre parce que c'est étonnant, mais c'est la meilleure journée de la semaine. » Quel mode trouve-t-on après les conjonctions de subordination exprimant la cause (parce que, puisque, étant donné que, vu que) ?*

Est-ce le cas pour les conjonctions exprimant le but (pour que, afin que) ?

3. *Il n'est pas toujours facile de déterminer quand employer le subjonctif et quand employer l'indicatif ; essayez de compléter les phrases suivantes au mode et au temps voulus :*

Je voudrais que vous m'... (écouter)

Il a exigé que je .... tout de suite. (partir)

Je suis sûr que tout .... hier. (bien se passer)

J'ai peur qu'ils .... (être en retard)

Vous pouvez constater que nous .... vos conseils. (suivre)

J'ai l'impression qu'elle .... venir avec nous.(vouloir)

Je ne comprends pas qu'elle .... le faire. (vouloir)

Je pense que je .... (avoir raison)

Vous ne pensez pas qu'il .... ? (avoir raison)

Je suis désolé que vous .... Paul la semaine dernière. (ne pas voir)

Je sais que vous .... le faire. (pouvoir)

Je ne crois pas que vous .... le faire. (pouvoir)

Avez-vous remarqué qu'il .... pendant les leçons ? (dormir)

Je préfère que vous .... votre travail. (finir)

Je te promets que je le .... (faire)

Il lui a promis qu'il le .... (faire)

J'espère qu'elle .... (venir)

Je doute qu'elle .... (venir)

Je ne trouve pas que ce .... une bonne idée. (être)

Ne vous attendez pas à ce qu'on vous .... toute la vérité. (dire)

Il faut que vous .... (se dépêcher)

C'est dommage qu' il .... hier. (partir)

Il vaut mieux que vous le .... (savoir)

Il se peut que je le .... demain. (voir)

Il se peut qu'ils .... un accident, ils sont très en retard. (avoir)

Je vous le dis pour que vous .... conscient des problèmes. (être)

Elle est venue sans que je le .... (savoir)

Puisqu'il te le ...., c'est que ça doit être vrai. (dire)

Venez avec moi, à moins que vous .... trop de travail. (avoir)

Je veux bien le faire, mais à condition que vous m'.. (aider)

L'école de Pierre est à la campagne, tandis que celle de Bernard .... en ville. (être)

Elle est malade... Pourvu qu'elle .... vite ! (se rétablir)

Dites-le-lui avant qu'il .... (partir)

Phase VII : Réévoquer

Cf. Fiche d'activités p. 12

Phase VIII : S'exprimer librement

Votre point de vue

1. Expliquez quelle est la situation dans votre pays en ce qui concerne les rythmes scolaires. Est-elle, à votre avis, meilleure qu'en France ? Souhaiteriez-vous que la semaine soit découpée autrement ?

2. Est-ce que toutes les écoles devraient, comme celle d'Anita, accueillir les enfants de 7 h à 19 h pour aider les parents qui travaillent et n'ont pas le choix ? Que proposeriez-vous ?

3. Le métier d'enseignant : ses inconvénients, ses avantages. Qu'est-ce qui vous plaît, qu'est-ce que vous regrettez etc. ?

4. Le système éducatif dans votre pays : est-ce que tout est pour le mieux dans le meilleur des mondes ? À vous de porter un jugement.

Jeu de rôles

Le nouveau directeur de votre école a décidé de modifier les horaires scolaires, mais certains parents ne sont pas d'accord. Les enseignants sont également divisés quant à la meilleure façon de découper la journée et la semaine. Une réunion a lieu pour débattre la question.

Phase IX : Lire pour en savoir

Les Français et l'enseignement de la religion à l'école

En France, où l'opinion publique est très attachée à la séparation entre l'Église et l'État depuis le Concordat de 1905, il n'y a pas d'enseignement de la religion à l'école publique laïque.
Il n'est donc pas surprenant que, selon un sondage[1], cet enseignement ne figure pas parmi les

matières qui devraient être introduites en priorité à l'école. Invités à classer leurs préférences, les Français apportent des réponses nettes : autant la connaissance du monde du travail ou l'informatique font partie des urgences, autant l'histoire de l'art ou celle des religions leur semblent secondaires. (cf. tableau ci-dessous).

1. Parmi les matières suivantes, quelle est celle qui, selon vous, devrait être introduite en priorité à l'école ?

	En pourcentages
La connaissance du monde du travail	35
L'informatique	28
La prévention en matière de santé	21
L'éducation des consommateurs	6
L'histoire des religions	**5**
L'histoire de l'art	4
Ne se prononcent pas	1
Total	100

Tout ce qui pourrait faciliter l'insertion professionnelle des jeunes est plébiscité ; voilà qui n'est guère surprenant.

Seules l'Alsace et la Moselle font exception. Dans ces deux régions, le Concordat de 1905 ne s'applique pas, donc les élèves des établissements publics suivent un cours confessionnel de religion. Rappelons que la loi française prévoit que l'instruction religieuse se déroule à l'extérieur des écoles et en dehors des heures de classe.

Ce qui surprend davantage, en revanche, c'est que l'histoire des religions passionne pourtant les Français.

Lorsqu'ils sont interrogés sur ce sujet, sans devoir le classer parmi d'autres, ils se montrent enthousiastes.

2. Vous personnellement, seriez-vous plutôt favorable ou plutôt opposé à ce que l'on enseigne l'histoire des religions dans les établissements publics ?

	En pourcentages	
Très favorable	12	
		59
Plutôt favorable	47	
Plutôt opposé	26	
		39
Très opposé	13	
Ne se prononce pas	2	
Total	100	

Près de six Français sur dix se disent favorables à son enseignement dans les établissements publics. Leur intérêt envers cette question se traduit aussi par le très faible nombre de personnes qui «ne se prononcent pas».

Par ailleurs, les personnes interrogées se prononcent pour un enseignement qui engloberait les principales religions du monde. Ainsi ceux qui ne croient pas au Ciel, comme ceux qui y croient sont de plus en plus nombreux à vouloir introduire dans les programmes scolaires des connaissances sur les principales confessions présentes en France.

Pour la majorité des Français, selon ce sondage, la laïcité n'est pas menacée par une éventuelle introduction de l'histoire des religions, même s'ils sont conscients des difficultés à aborder ces questions parfois personnelles dans l'enceinte de l'école.

L'éducation à la «tolérance» formerait, selon les personnes interrogées, le principal avantage de cet enseignement.

Pour les jeunes, il s'agit d'abord d'acquérir des bases culturelles.

C'est pourquoi, les plus farouches défenseurs de l'école laïque eux-mêmes n'y sont pas hostiles, car ils redoutent surtout une montée de l'intolérance provoquée par l'ignorance.

Dans un rapport remis au Ministre de l'Éducation Nationale en 1989, l'historien Philippe Joutard, président de la mission de réflexion sur l'enseignement de l'histoire, préconise d'accorder à l'histoire des religions une place importante. Si le rapport envisage de présenter « sommairement » les religions lointaines comme le boudhisme ou l'animisme, il conseille d'insister sur le judaïsme, le christianisme et l'islam, les trois grandes religions présentes en France.

Philippe Joutard propose par exemple, d'étudier au début de l'école primaire le calendrier français, rythmé par les fêtes chrétiennes, ainsi que les calendriers juif et musulman.

Le rapport Joutard souligne combien cet enseignement des religions suppose des instituteurs et des professeurs formés.

« Il ne faut pas sous-estimer la curiosité des élèves et leur aptitude à réfléchir, surtout dans les petites classes, à condition que leurs maîtres soient eux-mêmes cultivés et capables de susciter cette demande avant d'y répondre. »

Pour faciliter cette formation, le Centre National de Documentation Pédagogique et ses antennes régionales, ont commencé à publier quelques documents[2].

Les recommandations portant sur l'histoire des religions ont été publiées par la revue Éducation et Pédagogies, « Laïcité : le sens d'un idéal », numéro 7, septembre 1990, CIEP, BP 75, 92311, Sèvres Cedex.

1. sondage exclusif réalisé par l'Institut Louis Harris pour le *Monde de l'Éducation*, les 23 et 24 mai auprès d'un échantillon national représentatif de 1021 personnes âgées de dix-huit ans et plus, selon la méthode des quotas.
2. *Histoire des religions*, CRDP de Besançon 6, rue des Fusillés, BP 1153, 25003 BESANÇON CEDEX.

D'après *Le Monde de l'Éducation*, juillet-août 1991.

Phase X : Réutiliser et transposer dans la salle de classe

En quoi cette unité vous est-elle utile
1. pour communiquer dans la classe en réutilisant les structures ?
2. pour proposer des activités aux enfants sur les thèmes spécifiques de l'unité ?

Confrontez vos idées à celles de votre groupe, et/ ou aux suggestions du Guide d'utilisation.

Activités spécifiques sur l'oral et les relations oral-écrit

Voir *Guide d'Utilisation* page : 6 à 23

*Ces activités peuvent être faites, pour chaque unité, **avant** ou **après** celles de la première partie.*

Phase IV (2e partie) : Préciser l'observation et la compréhension*

1* - Les activités de cette 2e partie de la phase IV sont présentées dans l'ordre correspondant au **déroulement chronologique de la cassette vidéo.**

2 - Elles nécessitent des **écoutes/visionnements répétés** de chacun des fragments de l'enregistrement

3 - * Ce signe signifie « **reportez-vous**, pour les solutions proposées, à la section « Pour vérifier par vous-même » (G.U. à partir de la page 137).

4 - Pour chaque **citation** d'instituteur, **le numéro de ligne indiqué** vous permet de vous reporter rapidement à la transcription.

5 - La liste récapitulative des **conventions de codage** figure dans le G. U. p. 22.

Présentations

Séquence 2

Je m'appelle

- - - - - - - - - - - - - - - -

A Pauses

En réécoutant ALAIN, **comptez** *le nombre de pauses réalisées (fermez les yeux, si cela vous aide). Puis,***vérifiez** *en relisant la transcription semi-brute (Guide d'Utilisation p. 159, l. 1).*

Chaque pause est codée par une *grande barre* - verticale ou oblique. Une pause est ici définie comme une interruption, de longueur variable, dans la production sonore du discours.

B Nombre de syllabes prononcées

Observez *le codage du nombre de syllabes prononcées par* ALAIN, *pour chaque segment de parole compris entre deux pauses :*

– « / je m'appelle Alain Sardaillon / »[8]

– « / je n'ai pas d'enfants / »[5]

– « /je suis instituteur depuis déjà seize ans/ »[12]

Le nombre de syllabes prononcées est indiqué *en haut, à droite, à la fin du segment.*

C Activité de consolidation : pauses

En réécoutant BÉATRICE, **comptez** *le nombre de pauses réalisées (fermez les yeux, si cela vous aide). Puis,* **vérifiez** *en relisant la transcription semi-brute (G. U. p. 159, l. 6).*

D «Euh»

En réécoutant CHRISTINE *(G. U. p. 159, l. 15),* **observez** *les «* «**euh** » *présents dans sa parole : ils signifient, par exemple*

• je réfléchis et je choisis ce que je veux / je vais dire

• continuez à m'écouter, je n'ai pas fini de parler.

Ils communiquent donc à l'interlocuteur plusieurs significations simultanées.

Ils sont dits sur une note basse et ils sont plus ou moins allongés.

Il est fréquent de confondre les « euh » et les pauses.

Il est également fréquent de confondre une syllabe plus allongée que d'autres, une répétition, ou un changement de mélodie avec une pause.

E instable

Comptez *le nombre de syllabes prononcées dans la demande de* RENÉE, *adressée à* JEAN LUC. *Puis,* **observez** *le codage ci-dessous. Il rend visible les « e instables » non prononcés et les « e instables » prononcés :*

19 « est-ce qu[e] jé pourrais vous démander dé vous présenter / »[11]

Une petite barre est mise sur la ou les lettres correspondant à la voyelle non prononcée (on peut prononcer cette voyelle dans d'autres contextes).

Un *carré (ou cercle dans l'écriture manuelle)* entoure la ou les lettres correspondant au « e instable » prononcé.

Nous n'avons pas codé le e final de « est-ce » : il n'y a pas de choix de prononciation dans le contexte.

Le symbole phonétique international du « e instable » prononcé est [ə] (appelé « e renversé » ou « schwa »). Il est écrit sous la ligne *entre crochets.*

Phonème [i]

1. Observez *le codage de chaque* [i] *prononcé par* JEAN : *la lettre ou les lettres qui correspondent à cette voyelle prononcée sont soulignées et en caractères gras.*

42 « Je m'appelle Monsieur Dard ▼Jean de mon prénom et je su**is** d**i**recteur de
cette école depu**is** maintenant d**i**x-sept ans / et c'est ma dernière année
j'ai une une grande f**i**lle qu**i** est ▼une grande f**i**lle ou**i** qu**i** a une trentaine
d'années qu**i** est ass**i**stante sociale / j'ai la joie d'ê - - d'être grand-père de
deux rav**i**ssants bambins / un pet**it** garçon / de quatre ans une petite f**i**lle de
deux ans et dem**i** / »

2. Codez vous-même *les* [i] *prononcés par* BRUNO : **soulignez** *ou* **colorez** *la ou les lettres correspondantes.* BRUNO *prononce 8* [i].

48 «Alors voilà je vous présente (euh) ma fille / elle s'appelle Emma /elle est née
le cinq (euh) novembre dix neuf cent quatre vingt neuf ((1989)) /elle a bientôt
dix-sept mois / euh c'est notre première fille / euh je m'appelle Bruno ▼et je
suis marié avec Isabelle une institutrice / voilà / »

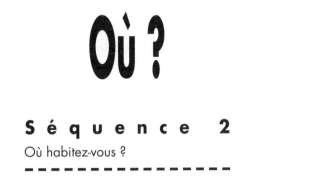

Où ?

Séquence 2

Où habitez-vous ?

 A **Syllabes prononcées**

Observez *le codage des syllabes prononcées par* RENÉE *dans les segments sonores suivants : il indique leur nombre et leur délimitation (= le début et la fin de chaque syllabe)*

1   « Vous habitez où / »[5]

9   « Et vous allez à l'école en voiture / »[10]

> Un *trait horizontal, borné par deux petits traits verticaux* souligne toutes les lettres correspondant à chaque syllabe pononcée.
>
> Observez la différence dans le codage de « vous » dans les deux exemples suivants. Dans le deuxième, le « s » écrit relève en même temps de deux syllabes prononcées.
>
> Ex 1 : vous mangez   Ex. 2 : vous allez

B **Significations : intonation, mots et gestualité**

Indiquez *si la deuxième réponse d'*ISABELLE *(« **Je vais à l'école en voiture /** ») communique, selon vous, une ou plusieurs des significations suivantes :*

(Tenez compte des interactions entre mots, intonation et gestualité au sens large du terme)

a. Une demande d'information
b. Un apport d'information inconnu de Renée (ou présenté ainsi)
c. Une confirmation de l'information déjà apportée par Renée
   (un équivalent de : « il est bien exact, n'est-ce pas que vous allez... ? »)
d. *Autres ? (précisez, si possible)*

C **Phonèmes** [a] **et** [u]

1. ***Observez*** *le codage des* [a] *prononcés par* BÉATRICE.

12 « J'**ha**bite tout près de l'école / environ un qu**a**rt d'heure **à** pied / je viens le
     [a]   [a]   [a]

m**a**tin **à** pied d'**a**illeurs euh en génér**a**l / puisque je dépose mon fils **à** l'école m**a**ternelle / »

2. *Observez* *le codage des* [u] *prononcés par* RENÉE, *dans ses diverses demandes.*

1   « V**ous** habitez **où** »
     [u]   [u]

9   « Et v**ous** allez à l'école en voiture »

Les symboles phonétiques s'écrivent entre « crochets » : [ ]. Les symboles phonétiques sont écrits sous la ligne. Dans la suite des activités, nous emploierons un seul symbole [a] pour tous les « a » prononcés.

D **E surajouté**

Lisez silencieusement en réécoutant *le texte codé des paroles d'*ANITA. ***Observez*** *particulièrement la présence de e instables « surajoutés », codés par un petit « e » encadré (ou encerclé, en écriture manuelle), au-dessus de la ligne :*

25   « Alors c'est dans l⬚e⬚ sud ▼est ᵉ d⬚e⬚ ▼au sud-est ᵉ d⬚e⬚ Paris c'est la proche banlieue ça s∅ trouve à peu près / à quinze kilomètres euh d⬚e⬚ Notr⬚e⬚ Dame / pour situer euh géographiqu∅ment euh la distance qui nous sépare du centr⬚e⬚ d⬚e⬚ Paris et / du centr⬚e⬚ d⬚e⬚ Créteil / »

Ce type de prononciation se rencontre souvent lorsque 3 consonnes prononcées - ou plus - sont en contact. Ex. : un film ᵉ français , l'Arc ᵉ d⬚e⬚ Triomphe (chaque consonne prononcée est codée ici par un *petit trait vertical* sous la ligne.

✱E **Significations : intonation et mots**

En tenant compte de l'intonation, ***indiquez*** *si la demande de* RENÉE

*(« **Vous habitez près de votre école** » p. 162, l. 33) communique pour vous :*
    a. Une demande d'information inconnue de Renée (ou présentée ainsi)
      (c'est-à-dire un équivalent de : 1/ « je ne sais pas si vous habitez près... » ✱
      et, en même temps, de :   2/ « je vous demande de me donner l'information » ✱)
    b. Une demande de confirmation déjà connue de Renée
      (équivalent de : « il est bien exact, n'est-ce pas, que....✱)
    c. *Autres... ?*

Ces ensembles de mots considérés comme équivalents possibles d'autres ensembles de mots sont appelés « *paraphrases* », dans les activités suivantes.

Une journée d'instit'

Séquence 1

Emploi du temps

- - - - - - - - - - - - - - -

*A Observation du non verbal et compréhension de la situation

* 1. Indiquez *si les éléments suivants sont visibles à l'écran :*
- a. Un ballon
- b. Des fleurs
- c. Des plantes vertes

* 2. Indiquez *si les mots suivants sont visibles à l'écran :*
- a. « lecture orale »
- b. « lecture suivie »
- c. « lecture rapide »
- d. « jeux »
- e. « échecs »

Séquence 2

Une journée typique

- - - - - - - - - - - - - - -

A Groupe rythmique, allongement syllabique

Observez *ce que dit* CHRISTINE :

11 « pour les pour la journée de demain »

13 « voilà à peu près le / la journée typique »

Après un allongement de syllabe prononcée et/ou un arrêt - exprimant une réflexion, un change-ment d'idée, le groupe rhytmique est fréquemment **reconstitué**, pour faciliter la compréhension du sens.

Le groupe rythmique est ici délimité par *un trait horizontal borné par deux petits traits verticaux*, sous la ligne.

L'allongement est indiqué sous la syllabe concernée, *par une petite flèche grisée* (ou par *un trait ondulé*, en écriture manuelle)

Unité 3

129

*B Activités de consolidation : éléments rythmiques

1. *Observez* *le codage de la prononciation de* CHRISTINE :

    3   « huit heures moins lₑ̷ quart » [4]

    6   « huit heures et dₑ̷mie » [4]

    6   « onze heures et dₑ̷mie » [4]

    7   « dix heures et dₑ̷mie » [4]

* **2.** *Sur le même modèle,* **codez et prononcez vous-même** :

       trois heures moins le quart

       six heures et demie

C Reproduction guidée

En vous aidant du codage, **répétez** *- d'abord* **mentalement**, *puis* **oralement** *- les expressions ci-dessus (en 2.)*

D Activité de consolidation : phonèmes, prononcés ou non, et organisation rythmique

Comparez, *en vous guidant sur le codage, les diverses prononciations possibles d'un même mot ou ensemble de mots :*

a. cₑ sₑrait /[3]   c. jₑ mₑ lève/ [3]   f. quatre /[1]   h. quatrₑ journées /[4]

b. cₑsₑ̷rait /[2]   d. j∅̷ mₑ lève/[2]   g. quatre heures /[2]   i. quatr∅̷ journées /[3]

                 e. jₑ m∅̷ lève /[2]

> Le nombre et la délimitation des syllabes prononcées peut varier, selon les circonstances, les choix personnels de prononciation et/ou selon les contraintes imposées par le contexte « phonique » (= sonore)

S é q u e n c e   4

On nous demande tout

A Lecture-écoute guidée

Réécoutez ISABELLE T. **en lisant silencieusement** *le texte codé :*

   1   « On nous dₑmande tout / on est à la fois des des professeurs on doit êt̸ₑ̷

spécialisé dans toutes les matières i̸l faut aussi bien êt̸r̸¢ bon en musique ▼
euh qu'en math qu'en sport qu'en dessin on / on nous d¢mande toutes
les qualités ▼et on n¢ r e coit pas une formation euh adéquate / euh ▼on nous
d¢mande euh égal¢ment d'êt̸r̸¢ des éducateurs / euh au sens pur euh du
du terme / on nous d e mande (d'ê --) d'êt̸r̸¢ des papas d'êt̸r̸¢ des mamans
d'êt̸r̸¢ des grands frères on nous d¢mande d e comprend̸r̸¢ des langues
auxquelles on n¢ connaît rien / on nous d¢mande des tas d¢ choses pour lesquelles nous n¢ sommes pas formés / c'est épuisant / »

> Observez la suppression des consonnes prononcées [l] et [ʀ] (le symbole phonétique est « [ʀ]
> majuscule »)

B Activités de consolidation : phonèmes non prononcés

1. Recodez vous-même les suppressions de [ʀ] liées à celles du « e instable » - et fréquemment entendues dans le français parlé courant (même en situation formelle) :

  1 « on doit être spécialisé »

  2 « il faut aussi bien être bon en musique »

  5 « d'être des éducateurs »

  6 « d'être des mamans »

2. Observez la reconstitution des groupes rythmiques par ISABELLE T.

  1 « des des professeurs »

  3 « on / on nous demande »

*C Significations : intonation, mots et gestualité

En écoutant et en regardant ISABELLE T., **indiquez** la ou les paraphrase(s) qui, selon
vous, aident à préciser le sens communiqué :

  a. J'en ai assez / j'en ai par dessus la tête / j'en ai ras- le bol
  b. Il est demandé aux instituteurs d'avoir toutes les compétences
  c. Je trouve très difficile d'avoir toutes les compétences
  d. Je suis très heureuse de ma situation professionnelle
  e. Je ne m'intéresse plus à ma situation professionnelle
  f. Je suis exaspérée par notre situation - la mienne et celle de mes collègues
  h. Autres... ?

Dans notre approche, le « **sens** » est composé d'un **ensemble de significations** différentes, combinées dans la rencontre de la production et de la réception de la parole orale, à partir de l'ensemble de ses composantes verbales et non verbales. On parle aujourd'hui du « feuilletage du sens »

Une ou plusieurs paraphrases de valeurs équivalentes peuvent correspondre à chaque signification. Le sens peut donc être précisé par un ensemble de paraphrases de valeurs équivalentes et de valeurs différentes.

*D Activité de consolidation : relations phonèmes - orthographe

Récapitulez en codant les voyelles prononcées [i], [a] *et* [u] *dans les 4 intitulés des séquences de l' Unité 3*

(écrivez le mot qui convient dans chaque colonne et soulignez ou colorez de couleurs différentes la ou les lettres correspondant à chaque voyelle prononcée).

	[i]	[a]	[u]
Emploi du temps Une journée typique Le matin avant la classe		emploi*	
On nous demande tout			

* voir p. 144 : les limites de notre système de soulignement.

Les repas à l'école

Séquence 1

La cantine scolaire. Un repas typique

Unité 4

A | Activité de consolidation : éléments rythmiques

Observez la reconstitution des groupes rythmiques par ISABELLE S. :

3 a. « le les carottes râpées »

6 b. « de de pommes de terre »

8 c. « la bien sûr la banane »

*B | Significations : intonation et mots

Différenciez le sens des deux demandes de RENÉE à ISABELLE S. : indiquez la ou les paraphrase(s) qui, selon vous, précisent le sens communiqué.

1   « **vous pouvez me donner un menu typique** » *signifie*

    a. Je ne sais pas quel est le menu typique

       (= demande par Renée d'une infomation inconnue d'elle - ou présentée ainsi)

    b. Je vous demande de me répondre immédiatement

    c. Auriez-vous la gentillesse de me dire... ?

    d. *Autres... ?*

*C | Significations : intonation, mots et gestualité

En disant « **repas typique à la cantine** » (G.U. p. 166, l. 9), CHRISTINE communique simultanément plusieurs significations. **Indiquez** les paraphrases qui, selon vous, précisent le mieux ces significations :

    a Vous me demandez quel est le repas typique

    b. Voyons voir, laissez-moi réfléchir

    c. C'est difficile de répondre directement

    d. Ai-je bien compris ? vous avez bien dit « repas typique », n'est-ce pas ?

    e. J'ai dit tout ce que je sais sur la question

    f. *Autres... ?*

D | Phonème [e]

Observez, dans les demandes de RENÉE, le codage du [e] («é fermé ») prononcé :

1 « Vous pouv**ez** me donn**er** un menu typique »
        [e]   [e]

12 « **Et** comme d**e**ssert »
   [e]   [e]

Observation des formes orthographiques

Indiquez si les mots suivants sont visibles à l'écran :
   a. « choux-fleurs »   b. « ail »   c. « carote »

S é q u e n c e   2

Est-ce que vous mangez à la cantine ?
━ ━ ━ ━ ━ ━ ━ ━ ━ ━ ━ ━ ━ ━ ━ ━

A Phonème [ã]

Observez le codage des [ã] (= « a nasal ») prononcés par RENÉE , CHRISTINE ET FARIDA.

1 RENÉE :   « Est-ce que vous m**an**gez à la c**an**tine / »
                          [ã]   [ã]

2 CHRISTINE :   « Alors je d - - déjeune à la c**an**tine mais euh avec mes collègues
                d**ans** la salle des maîtres / euh je ne m'occupe pas de la
                surveill**an**ce de **can**tine euh à l'école / »

17 FARIDA :   « Ah non absolum**ent** pas nous ne sommes pas obligés du tout
                en général nous le / faisons pour euh / **en** quelque ▾sorte
                arrondir nos fin de mois / parce que nous sommes / payés ▾**en**
                supplém**ent** lorsque nous faisons ▾euh ce g**en**re d'activités sur-
                veiller la c**an**tine / ou alors participer à un c**en**tre sportif le mer-
                credi / »

Dans l'alphabet phonétique international, le [ã] est coiffé d'un « tilde » : ~

B Activité de consolidation : phonèmes

En réécoutant ISABELLE *T. et* ALEXANDRO, *ajoutez* le codage du a nasal [ã]. ISABELLE prononce 13 [ã] et ALEXANDRO prononce 3 [ã]

30 ISABELLE T. : « Je ne mange pas à la cantine parce que c'est un ħurloir / c'est

très fatigant et je pense qu'il faut une (cout - -) une coupure (a a)

qui est absolument indispensable / et même manger dans la

salle des maîtres c'est trop fatigant je rentre chez moi / je / je

coupe complètement la journée en deux et / et c'est beaucoup

plus facile de travailler dans ces conditions l'après-midi / »

36 ALEXANDRO :« (J'y) j'y mange / très souvent / et j'y mange euh / plus par

obligation que par goût / »

S é q u e n c e   3
Goûts et préférences
- - - - - - - - - - - - - -

A Phonème [ɛ]

Observez *le codage des* [ɛ] *(« è ouverts ») prononcés par* PIERRE

2   « Mon plat préféré / mm / je crois bien que c'**est** la tarte au fromage /
                                                      [ɛ]

alsaci**e**nne / qui préc**è**de par la coutume la choucroute alsaci**e**nne /
        [ɛ]   [ɛ]   [ɛ]

B Activités de consolidation : phonèmes

Récapitulez *en codant les e instables supprimés ainsi que les* [e] *et les* [ɛ] *ouverts présents dans la parole d'*ANNETTE*. Vous trouverez : 3* ¢ *, 3* [e]*, 1* [ɛ]

24 « j'apprécie beaucoup les plats de poisson / je mange peu de viande / et

j'aime beaucoup le chocolat aussi / »

Les loisirs

Séquence 1

Quels sont vos loisirs ?

- - - - - - - - - - - - - - -

A Lecture-écoute guidée

Lisez silencieusement en écoutant le texte codé des paroles de CHRISTINE ; les [e] (« é fermés »), les allongements et les groupes rythmiqes reconstitués sont ici mis en évidence :

2 « Euh j'**ai** la chance de / d'avoir beaucoup de temps libre / avec mon
  [e]

  m**é**ti**er** / donc euh je lis beaucoup / je fais de la danse / euh je vais au
  [e e]

  cin**é**ma / je ▼je fais d**es** activit**és** manuelles / voilà / »
  [e]   [e]   [e]

*B Significations : intonation, mots et gestualité

Indiquez la ou les paraphrase(s) qui, selon vous, aident à préciser les significations communiquées par CHRISTINE quand elle dit les mots suivants :

2 **« temps libre »**
  a. J'ai exprimé une idée complète
  b. Je vais continuer à parler
  c. Voilà ma situation / voilà une information
  d. Voilà ce que je peux dire en premier lieu / pour commencer
  e. *Autres... ?*

4 **« je »**
  a. Je n'ai pas exprimé une idée complète
  b. Je réfléchis / je cherche
  c. Je vais continuer à parler
  d. Je n'ai pas envie de vous répondre
  e. *Autres... ?*

C Lecture-écoute guidée

Lisez silencieusement en réécoutant le texte codé des paroles de JOSIANE.

Les e instables (prononcés ⓔ *et supprimés* ∅ *) et les* [ɛ] *(« è ouverts ») sont mis en évidence par le codage :*

5 « Eh bien là maintenant aux beaux jours je f**ais** du vélo euh tous les m**e**rcredis
[ɛ]   [ɛ]

av**e**c des amis / en principe / l'hiv**e**r et bien euh je v**ais** au ski / l'été /
[ɛ]   [ɛ]

je v**ais** à la m**e**r / dans notre région on a de la chance d'**ê**tre à / à une heure
[ɛ]   [ɛ]   [ɛ]

à peu pr**ès** de la première station de ski /et à / une heure trente de la m**e**r / »
[ɛ]   [ɛ]

Lecture-écoute guidée, liaisons

Lisez en réécoutant *le texte codé des paroles de* BERNARD. ***Observez*** *particulièrement le codage*

- *des e instables, prononcés et supprimés*
- *du* [ʀ] *supprimé*
- *de l'allongement*
- *et des liaisons :*

10 « Euh jⓔ fais égalⓔment du tennis / avec euh des͜amis d∅ l'école / et j'ai une

aut/∅ passion euh entre guillⓔmets un peu plus͜intellectuelle

jⓔ jⓔ fais partie d'un club d'échecs / »

La liaison est codée par un *trait courbe* **sous** la ligne.

Le codage des syllabes prononcées est un autre procédé possible pour rendre la liaison visible :
des amis - plus intellectuelle

S é q u e n c e 2
Les loisirs préférés

Phonème [o]

Observez *le codage des* [o] *(« o fermés ») prononcés par* RENÉE *dans ses trois demandes :*

1 « Quelles sont v**os** activités de loisirs »
[o]

5 « Vous faites b**eau**coup de poterie »
       [o]

19 « En dehors du théâtre vous faites **au**tre ch**o**se »
                                    [o]   [o]

Phonème [ɔ]

Observez *le codage des* [ɔ] *(« o ouverts »)* *prononcés par* ISABELLE P. :

2 « J'aime bien me pr**o**mener j'aime bien m'**o**ccuper de ma fille / j'aime euh
                    [ɔ]   [ɔ]

bien la p**o**terie / j'aime bien le sp**o**rt / j'aime bien rencontrer des gens aussi / »
       [ɔ]   [ɔ]

Activités de consolidation : relations phonèmes - orthographe

1. ***Récapitulez en codant*** *les* [o] *et les* [ɔ] *prononcés par les instituteurs (**écrivez** le mot qui convient dans chaque colonne et **soulignez - ou colorez** de couleurs diffé-rentes - la ou les lettres correspondant à chacune des voyelles observées) :*

		[o]	[ɔ]
3	la poterie		
8	à côté		
14	à cause des études		
15	un film nouveau		
17	j'adore voyager		
21	quelques promenades		
27	faire du vélo		
30	la position d'étranger		

2. *En vous aidant du codage et de l'enregistrement, **répétez mentalement** les mots cités en 3.*

*3. *En réécoutant* ALAIN, ***choisissez*** *le codage qui correspond le mieux à sa pronon-ciation :*

1ᵉʳ codage :   / mais c∅ qu⧈e j∅ préfère j⧈e crois c'est d⧈e temps en temps m'évader et /

2ᵉ codage : / mais cø quₑ jø préfère jø crois / c'est dø temps en temps m'évader et /

3ᵉ codage : / mais cø quₑ jø préfère jₑ crois c'est dø temps en temps m'évader et /

Comptez le nombre de syllabes prononcées correspondant à chacun des trois codages

D Syllabes accentuées

Observez les syllabes accentuées par ALAIN quand il dit (l. 20) :

a. Un **peu** dₑ **sport**

b. L'hi**ver** lₑ **ski**

c. L'é**té** la **mer**

> Pour coder la syllabe accentuée, *une petite flèche* est placée au-dessus de toutes les lettres correspondant, dans le contexte, à cette syllabe accentuée.
>
> Les syllabes accentuées contribuent à la délimitation des groupes rythmiques et jouent un rôle essentiel dans l'organisation de l'expression et de la compréhension orales .Quand vous parlez français, votre première préoccupation doit être la place correcte des syllabes accentuées.

E Aspect de la synchronisation rythmique : syllabes accentuées et mouvements produits

Observez maintenant les mouvements (tête et regard) produits par ALAIN en disant ces syllabes accentuées.

> Chaque syllabe accentuée correspond à un ou plusieurs mouvements produits simultanément par diverses parties du corps (« gestes » - au sens large) ; c'est un aspect de la « synchronisation rythmique »

*F Significations : intonation, mots et gestualité

Indiquez la ou les paraphrase(s) qui, selon vous, aident à préciser les significations communiquées par ALAIN, quand il dit : « **donc euh j'irai faire du vélo** » (l. 26)

a. J'ai décidé de faire du vélo
b. C'est tout simple / c'est un problème facile à régler
c. Et ensuite je passerai à autre chose
d. *Autres... ?*

À la campagne ou à la ville

Unité 6

Séquence 1

Vivre à la ville ou à la campagne ?

- - - - - - - - - - - - - - - -

A

Activité de consolidation : organisation rythmique et phonèmes

En réécoutant JOSIANE, **choisissez** *le codage qui correspond le mieux à sa prononciation (G.U. p. 171, l. 1) :*

1ᵉʳ codage :   « J'habite dans une p⊟tite ville et j⊟ m'y plais assez bien parce qu⊟ on (n'est) / pas très loin des grandes villes pour les cinémas les spectacles ou les courses / mais j'aime bien m∉ r⊟poser à la campagne j'aime bien l∉ silence euh ▽voilà / »

2ᵉᵐᵉ codage :   « J'habite dans une p⊟tite ville et j∉ m'y plais assez bien parce qu∉ on (n'est) pas très loin des grandes villes / pour les cinémas les spectacles ou les courses / mais j'aime bien m∉ r⊟poser à la campagne j'aime bien l∉ silence / euh voilà / »

B

Production orale guidée

Dites *le texte ci-dessus en fonction de chacun des codages, d'abord* **mentalement,** **puis oralement.**

1. Codez, *dans la transcription semi-brute (G.U. p. 171, l. 6), les reconstitutions de groupes rythmiques effectuées par ALAIN.*

2. Observez *le codage des syllabes accentuées, et des liaisons prononcées par RENÉE : cette activité fait suite à D. p. 139*

« **Est-ce** qu⊟ vous‿êtes ten**té** par une **ville** plus **grande** que Montélima**r** euh / » (l. 5)

C — Phonème [y]

Observez le codage des [y] *prononcés par* JOSIANE *et par* RENÉE :

1 JOSIANE : « J'habite dans **u**ne petite ville et je m'y plais assez bien parce que
[y]

on (n'est) / pas très loin des grandes villes pour les cinémas les spec-

tacles ou les courses / mais j'aime bien me reposer à la campagne

j'aime bien le silence euh ▼voilà / »

5 RENÉE : « Est-ce que vous êtes tenté par **u**ne ville pl**us** grande que Montélimar euh »
[y]   [y]

Séquence 2
Enseigner en ville ou à la campagne ?
- - - - - - - - - - - - - - -

*A — Significations : intonation et mots

Indiquez la ou les paraphrase(s) qui, selon vous, aident à préciser les significations communiquées par RENÉE, quand elle dit : « **C'est un inconvénient donc** » *(l. 3)*

a. Si je comprends bien
b. Vous me dites que
c. C'est un inconvénient
d. C'est bien exact n'est-ce pas ?
e. *Autres… ?*

*B — Significations : intonation et mots et gestualité

Précisez vous-même, à l'aide de plusieurs paraphrases, les différentes significations communiquées par ANITA, quand elle dit : « **euh des avantages à enseigner en ville** » *(l. 32)*

a.
b.
c.
d.
e.

Activités de consolidation : relations orthographe - phonèmes

1. *Récapitulez* vos connaissances : ***observez*** *la prononciation des voyelles* [i], [e], [o] *et* [u] *prononcées par* JOSIANE *et* ALAIN *(séquences 1 et 2) :*

	[i]	[e]	[o]	[u]
JOSIANE :	j'hab**i**te	cin**é**mas l**es**	rep**o**ser	**ou** p**ou**r c**ou**rs
ALAIN :	pet**i**tes v**i**lles f**i**nalement m**i**lliers Montél**i**mar v**i**lles su**is** pu**i**sque arr**i**vé pet**it**	l**es** milli**ers** Mont**é**limar pass**er** profit**er** arriv**é** travaill**er** l'étrang**er** enseign**er**	m**o**ments	p**ou**r t**ous** g**ou**rmand t**out** retr**ou**ver b**ou**rg

* 2. ***Codez vous-même****, dans la transcription semi-brute (séquence 2, G. U. p.172, l. 32), les* [y] *prononcés par* ANITA*.*

Observez *les voyelles prononcées pour nommer les lettres de l'alphabet et* ***épeler*** *les mots :*

a	b	c	d	e	f	g	h	i	j	k	l	m
a	e	e	e	ə	ɛ	e	a	i	i	a	ɛ	ɛ

n	o	p	q	r	s	t	u	v	w	x	y	z
ɛ	o	e	y	ɛ	ɛ	e	y	e	uə e	i	iɛ	ɛ

Retour de classe transplantée

Séquence 1
Une classe « gastronomique »

- - - - - - - - - - - - - - - -

A Activité de consolidation : phonèmes

Récapitulez en codant, dans la transcription semi-brute, les [y] *et les* [ã] *prononcés par* FARIDA *(G.U. p. 173, l. 1 à 7) :*

> *soulignez la ou les lettres correspondantes et* **écrivez** *le symbole phonétique approprié sous les lettres soulignées. Aidez-vous du dictionnaire, si nécessaire.*

Vous trouverez 6 [y] *et 9* [ã].

B Semi-voyelle [w]

Dans la même séquence sonore, **observez** *la prononciation de la semi-voyelle* [w] *: elle est suivie d'une voyelle prononcée, pas toujours « visible » à l'écrit :*

    a.   « au m**ois** de juin »
            [wa]

    b.   « tr**ois** semaines »
            [wa]

    c.   « dans un tr**oi**sième temps »
            [wa]

    d.   « les v**oi**ci avec leurs pots »
            [wa]

    e.   « j**ou**er avec lui »
            [w][e]

[w] ressemble un peu au son de [u] mais il est nécessairement associé à une voyelle prononcée dans une syllabe orale ; il ne peut, seul, constituer cette syllabe orale. Dans les exemples cités ci-dessous, il est associé à deux voyelles prononcées [a] et [e].

Notre système de soulignement trouve ici ses limites :

– les lettres correspondant à la semi-voyelle sont soulignées de deux traits quand cette semi-voyelle a une visibilité à l'écrit [e] ;

– dans les autres cas, les lettres correspondant à la semi-voyelle et à la voyelle prononcées sont toutes les *deux soulignées de deux traits*.

*C Activité de consolidation : phonèmes

Codez vous-même *tous les* [u] *et tous les* [y] *prononcés par* FARIDA, *en distribuant les mots en deux colonnes. Vous trouverez 14* [u] *et 15* [y]

(les mots prononcés plusieurs fois sont ici comptés une seule fois)

[u]	[y]

D Semi-voyelle [j]

Dans la séquence sonore suivante, **observez** *la prononciation de la semi-voyelle* [j] *et son codage :*

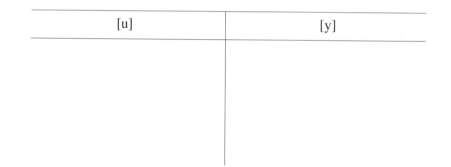

25 « l'apiculteur a expliqué les principes de l'extraction / du miel et les enfants /
                                                    [j]   [j]

ont regardé attentivement / et avec beaucoup d'étonnement / lorsque le miel a
                                                                          [j]

commencé à couler / chaque enfant est venu s'agenouiller / pour remplir / un
                                                        [j]

petit pot / les enfants / ont été ravis / les voici / avec leurs pots / à la fin de la séquence / nous sommes aussi allés visiter une ferme / mais les enfants ont

eu un peu peur de s'approcher des animaux / l'un d'entre eux a décidé de

photographier les vaches / le chien ▾est venu / et les enfants ont préféré
             [j]   [j]

jouer avec lui pendant un moment / tous les enfants sont rentrés chez eux /

ravis de ce séjour / »

[j] (appelé « yod », d'un point de vue phonétique) ressemble un peu au son de [i], mais il est nécessairement associé à une voyelle prononcée dans une syllabe orale: il précède ou suit cette voyelle.

Ex. : « miel » - « fille »
        [j]   [j]

Observez le codage du mot « fille » : le « i » écrit correspond à deux sons : le [i] et le [j]
(en association avec les lettres « lle »)

L'école autrefois

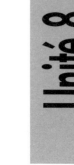
Séquence 1

La demoiselle (1ᵉ partie)

----

* A Observation du non verbal et compréhension de la situation

Prenez position *sur l'exactitude des informations suivantes, par rapport au document:*

- a. La « demoiselle » embrasse Mme Meyer.
- b. La « demoiselle » serre la main de René Charpenel (= le plus grand des messieurs)
- c. La « demoiselle » embrasse le maire.
- d. Deux personnes ont des lunettes.

* B Significations : intonation, mots et gestualité

Indiquez *les paraphrases qui, selon vous, précisent le mieux les significations communiquées par Mme MEYER, quand elle dit :* « **Attendez je vais vous le dire** » *(G.U. p. 176, l. 37) :*

- a. Attendez un instant, je réfléchis / je cherche
- b. Montrez-moi la photo, je peux vous le dire
- c. Je suis sûre que je peux vous le dire / que je le sais
- d. Pas de problème, ne vous inquiétez pas
- e. *Autres...?*

* C Observation du non verbal, mots, intonation et compréhension de la situation

Précisez *si les gestes évoqués ci-dessous sont visibles à l'écran pendant que Mme MEYER dit:* « **Mais que que j'ai pleuré quand vous** » *(G.U. p. 176, l. 67)*

- a. Elle lève la main droite, ouverte, devant elle.
- b. Elle pose sa main droite sur son visage, en bougeant la tête.
- c. Elle pose sa main droite ouverte sur son visage, sans bouger la tête.

Séquence 2
La demoiselle (2ᵉ partie)
- - - - - - - - - - - - - - -

Significations : intonation et mots

Prenez position sur la fonction communicative de « **beaucoup d'élèves** », *dit par l'institutrice (G.U.p. 177, l. 3) :*
  a. Elle complète la question posée par l'enfant
  b. Elle répète les mots de l'enfant, avec le même sens (en communiquant exactement la même chose)
  c. Elle répète les mots de l'enfant avec une ou plusieurs significations
  d. Elle pose seulement une question
  e. Autres...?

Significations : intonation et mots

Indiquez les paraphrases qui, selon vous, précisent le mieux les significations communiquées par l'institutrice, quand elle dit : « **beaucoup d'élèves** ».
  a. Je comprends / j'entends que tu me poses une question
  b. « Beaucoup d'élèves » : c'est ça que tu me demandes ?
  c. Voyons voir, laissez-moi réfléchir...
  d. Autres...?

Exemples d'accent régional

Observez la prononciation de l'institutrice et de certains enfants.

Significations : intonation et mots

À votre avis, le ton de l'institutrice - quand elle dit « **ah non il n'y avait pas d'ordinateur** » *(G.U. p. 178, l. 29) - signifie :*
  a. Il me semble que non / Je n'en suis pas sûre
  b. Il est certain que non
  c. C'est une question stupide
  d. Autres...?

Observation du non verbal et compréhension linguistique
Précisez si les gestes évoqués ci-dessous sont visibles à l'écran pendant que l'institutrice dit:

« Ah on écrivait à l'encre / alors c'était moi qui euh vidais l'encre dans les encriers / au début c'était moi qui devais acheter les les livres / et les cahiers / et les revendre aux élèves / » *(G.U. p. 178, l. 38)*

  a. Elle fait un geste de la main gauche, qui illustre l'action de vider l'encre dans les encriers.
  b. Elle montre, par des mouvements de doigts / de mains les éléments de son énumération :
    1. « acheter » 2. « les livres » 3. « les cahiers » 4. « revendre ».
  c. Elle commence ce « geste d'énumération » (dans ce contexte) en appuyant sur le petit doigt de sa main gauche.

Significations : intonation et mots

Indiquez les paraphrases qui, selon vous, précisent le mieux les significations communiquées par l'institutrice, quand elle dit : « est-ce que » *(G.U. p. 178, l. 50)*

  a. J'entends / je comprends que tu me poses une question
  b. Je n'ai pas entendu / compris les mots suivants / le sens de ta question
  c. Attends, je réfléchis…
  d. Peux-tu / veux-tu répéter?
  e. *Autres…?*

Activité de consolidation : phonèmes et organisation rythmique

Codez les deux prononciations successives du même élève quand il dit (l. 58) :

  a. Ils se disputaient avec euh les filles

  b. Ils se disputaient avec les filles

Observation du non verbal et compréhension de la situation

Prenez position sur l'exactitude des affirmations suivantes, par rapport au document:

  a. Les enfants qui posent une question sont visibles à l'écran.
  b. Les enfants lèvent le bras / le doigt / la main pour demander l'autorisation de sortir.
  c. Les enfants lèvent le bras / le doigt / la main pour demander la parole.
  d. Les enfants lèvent le bras / le doigt / la main pour demander la permission de prendre la parole.
  e. *Autres…*

Synthèse méthodologique personnelle

*Précisez les **difficultés** et l'**intérêt**,* pour vous, du travail que vous venez d'effectuer dans cette Unité.

La formation

S é q u e n c e   1
La normalienne
- - - - - - - - - - - - - - - - -

A **Semi-voyelle** [ɥ]

1. *Observez* *la semi-voyelle* [ɥ] *et son codage dans les mots ou expressions employés par* CHRISTELE

4 « Bonjour je m'appelle Christèle et je s**u**is (in) ▼institutrice / »
[ɥ]

6 « Euh je s**u**is en maternelle▼avec des enfants de deux ans /»
[ɥ]

9 « J'ai euh donc le Bac plus deux ((Bac + 2)) p**u**isque jusqu'en
[ɥ]

quatre vingt **hu**it ((88)) il fallait euh / le DEUG pour ent - - /
[ɥ]

pour passer le concours de l'Ecole Normale / et aujourd'**hu**i
[ɥ]

il faut la licence / »

Observez l'écriture de ce symbole phonétique (que nous appelons « y carré »): un petit trait remontant à droite assure la distinction avec le symbole de la voyelle [y], quelques soient les variations dans les écritures manuelles personnelles de ce dernier symbole.

---

* 2. *Codez vous-même* *les semi-voyelles* [ɥ] *présentes dans les paroles de* JEAN MARIE

12 « Est-ce que vous pourriez nous décrire la formation que vous avez suivie à

24 l'Ecole Normale / » « Maintenant que vous êtes institutrice / euh▼quelle éva-

luation pouvez-vous faire de votre formation /»

Activité de consolidation : éléments rythmiques

Notez, dans le texte suivant les pauses et les « euh » produits par CHRISTELE, ainsi que les e instables prononcés ou non ([e] ou ø) et les syllabes qui vous semblent allongées.

26 « Je pense que c'est une formation qui a été positive dans la mesure où
justement l'équipe euh pédagogique a su jongler très bien entre le mm
le théorique et la pratique c'est-à-dire que tout ce que n - - qui nous était
enseigné en théorie nous pouvions nous essayer de le mettre en pratique
je veux dire dans les classes que l'on que l'on nous confiait »

Reproduction orale guidée

Dites le texte suivant **à la manière** de CHRISTELE :

a. Avant cela, **préparez** votre prononciation en observant les divers codages. Réfléchissez en outre à **la valeur communicative** de l'intonation: sa forme acoustique globale et les significations qu'elle contribue à communiquer.

b **Reproduisez** le discours - d'abord mentalement, puis oralement ; si possible, **enregistrez-vous** au magnétophone.

c. Réécoutez et **faites votre autodiagnostic** (comparez les enregistrements à partir des codages)
Puis, si nécessaire, **refaites l'enregistrement** - et son analyse.

Codage mettant en évidence certains aspects de la prononciation de CHRISTELE :

14 « Oui alors c'est une formation^{8} / à la fois^{3} / euh▼théorique^{4} / et pratique ▼
théorique dans la m[e]sure▼ où▼euh^{12}/ on suit des cours d[e] sciences d[e]
l'éducation d[e] français d[e] mathématiques^{19} / sur^{1} / l'enseign[e]ment^{4} ▼
d[e] ces matières^{4} / et^{1} / un[e] formation pratique^{7} / avec euh des stages sur
l[e] terrain dans les classes^{12} ▼ où nous sommes en responsabilité^{10} / »

Production orale personnelle du texte

Dites le même texte à votre manière
Enregistrez-vous, si possible - et faites votre **autoévaluation.**

Séquence 2

Un peu d'histoire

A Liaisons, enchaînements vocaliques et consonantiques

Observez différentes façons d'associer les mots, quand il n'y a pas de pause à l'oral :

a. Exemple: « c'es**t** - **à** - dire », «   », » en **A**lsace »

> Les deux mots sont associés par **une liaison** (passage, sans interruption vocale, d'une consonne exceptionnellement prononcée à la fin d'un mot à une voyelle prononcée en début de mot suivant)
> Le « t » écrit appartient en même temps à deux syllabes orales (le « s » et le « n » aussi)

b. Exemples: « **a é**té », « Instit**uts U**niversitaires »

> Les deux mots sont associés par un **enchaînement vocalique** (passage, sans interruption vocale, d'une voyelle prononcée à une autre voyelle prononcée en début du mot suivant)

c. Exemples : « premiè**re É**cole Normale » « co**rps u**nique »

> Les deux mots sont associés par **un enchaînement consonantique** (passage, sans interruption vocale, d'une consonne finale de mot, toujours prononcée, à une voyelle prononcée en début du mot suivant), Les lettres « re » et « rps » sont reliées à la voyelle suivante pour former une syllabe orale.

Observez les divers codages proposés.

B Phonème [õ]

Observez le codage du « o nasal » [õ] :

> « mille neuf cent quatre vingt **on**ze ((1991)) voit la créati**on** des IUFM /
> $\qquad$ [õ] $\qquad\qquad\qquad\qquad\qquad\qquad$ [õ]

> c'est-à-dire des Instituts Universitaires / de Formati**on** des Maîtres / tous les
> $\qquad\qquad\qquad\qquad\qquad\qquad\qquad\qquad\qquad$ [õ]

> élèves / doivent avoir la licence c'est-à-dire Bac plus trois ((Bac + 3)) / alors /

> l'idée maîtresse est de c**on**stituer un corps unique / euh de tous les
> [õ]

enseignants du primaire et du sec**on**daire / et ainsi de supprimer les
[õ]

différences de salaires et de permettre aux instituteurs d'être mieux c**on**sidérés /
[õ]

euh malheureusement il y a des problèmes le gouvernement donne / ne

donne pas les crédits et les locaux euh qui s**ont** nécessaires / on est d**on**c
[õ]   [õ]

obligé d'utiliser les bâtiments des anciennes écoles Normales / euh / avec

beaucoup d'étudiants / et les formateurs viennent d'horiz**ons** différents / ils ont
[õ]

des traditi**ons** différentes et ▼ ils valorisent des aspects différents de la formati**on** /»
[õ]   [õ]

Ce symbole s'écrit indifféremment [õ] ou [ɔ̃]

C Phonème [ɛ̃]

Observez le codage de la voyelle nasale [ɛ̃]

« mille neuf cent quatre v**ingt** onze ((1991)) voit la création des IUFM / c'est-à-
[ɛ̃]

dire des **In**stituts Universitaires / de Formation des Maîtres / tous les élèves /
[ɛ̃]

doivent avoir la licence c'est-à-dire Bac plus trois ((Bac + 3)) / alors / l'idée

maîtresse est de constituer **un*** corps unique / euh de tous les enseignants du
[ɛ̃ / œ̃]

primaire et du secondaire / et **ain**si de supprimer les différences de salaires
[ɛ̃]

et de permettre aux **in**stituteurs d'être mieux considérés /
[ɛ̃]

Les dictionnaires donnent souvent deux symboles : [ɛ̃] et [œ̃]
[œ̃] correspond, en principe, à l'orthographe « un » ou « um ». Mais ce phonème est de moins en moins employé en français actuel.

* la prononciation de « un » tend ici vers [ɛ̃]

L'avenir le dira

A **Phonème** [ø]

Observez *le codage du "eu" fermé* [ø] *prononcé par* JEAN DARD :

3   .../... « car ma femme et moi-même sommes très amour**eux** de la Bretagne
    [ø]

(euh/et) des côtes en particulier / »

> Le symbole phonétique est appelé « o barré »

B **Significations : intonation, mots et gestualité**

1.** ***Indiquez *la ou les phrase(s) qui selon vous, précisent les significations communiquées par* ISABELLE T., *quand elle dit :* « **Avec mes enfants** » *(G.U. p. 184, l. 30)*
   a. J'irai avec mes enfants
   b. Probablement
   c. C'est certain
   d. Je vous confirme l'information / je vous confirme que ce que vous dites est bien
      exact
   e. *Autres...?*

2.** ***Indiquez *la ou les paraphrase(s) qui, selon vous, précisent les signifaications
communiquées par* PIERRE, *quand il dit :* « **alors là je peux vous donner à peu près le programme complet** » *(G.U. p. 184, l. 35)*
   a. Je n'ai pas envie de vous répondre
   b. Je vous donne volontiers l'information
   c. Je peux vous informer exactement / précisément
   d. *Autres...?*

C **Phonème** [œ]

Observez *le codage des « eu » ouverts* [œ] *prononcés par* JEAN LUC :

42 « Certainement **euh** cet été un voy – – je ferai un voyage **euh** / dans les pays
        [œ]   [œ]

de la Loire ce qu'on appelle (——) ici les pays de la Loire donc **euh** / **euh**
[œ]   [œ]

tous les châteaux qui bordent **euh** / qui bordent cette Loire / **euh** c'est
[œ]   [œ]

je connais très peu le le le sect**eu**r et / et c'est un coin qui mm / qui
[œ]

est agréable on (——) parle de la douc**eu**r de de vivre de / de ces pays de Loire /
[œ]

et puis **euh** ▼ les vacances ce n'est pas non plus totalement la / la coupure
[œ]

totale avec l'école / donc il y a toujours euh / des préparations / »

La vie avec des si

Unité 11

A Phonème géminé

Observez *la "géminée" prononcée par* BÉATRICE, *quand elle dit: « je r⒠structurⒺrais »*

La chute du e instable entraîne le rapprochement de 2 [ʀ], prononcés sans être séparés. C'est la prononciation de cette géminée qui permet de comprendre qu'il s'agit d'un conditionnel : la prononciation de la géminée est ici « obligatoire ».

Autres exemples : « co**mme m**oi »: prononciation de 2 [m] associés; géminée obligatoire.

« tren**te t**rois » : prononciatiion de 2 [t] associés géminée obligatoire.

Dans le mot « grammaire », la prononciation de la géminée est « facultative »

La géminée est l'un des éléments organisateurs du rythme du français parlé.

B Activité de consolidation : phonèmes

Observez *le codage du* [ø] *et du* [œ] *prononcés par* ISABELLE :

16 « Je crois qu'une des premières choses que je souhaiterais changer / c'est le

nombre d'élèves par classe / indépendemment de du quartier / c'est le

nombre qui est le le plus important / et une d**eu**xième **euh** chose que j'aime-
                                    [ø]   [ø]

rais faire comprendre/ c'est / **euh** / la mobilité des enseignants / à l'intérieur
                                 [œ]

des des écoles / la possibilité (de) de de bouger / »

La prononciation du « euh » varie entre [ø] et [œ], selon les personnes et chez une même personne. Le e instable est tantôt plus proche du son de [ø], tantôt plus proche du son [œ].
Le symbole [ə] est conservé, en raison de la diversité des prononciations existantes et pour faciliter l'apprentissage : il ne correspond jamais à l'orthographe « eu » - contrairement à [ø] et [œ].

Significations : intonation, mots et gestualité

Indiquez *les paraphrases qui, selon vous, précisent le mieux les significations communiquées par* ALAIN, *quand il dit :* « tout en sachant qu'il faut un certain minimum d'enfants pour qu'il y ait un certain dynamisme ». *(G.U. p. 185, l. 25)*

    a. Je suis tout à fait conscient
    b. Qu'il faut un certain minimum d'enfants
    c. Je le reconnais volontiers
    d. C'est évident
    e. J'ai fini de parler
    f. Je vais continuer à parler
    g. *Autres...?*

Activités de consolidation : phonèmes

Codez *le* [ø] *et le* [œ] *prononcés par* ALAIN *(sans tenir compte des « euh »)*

22 Donc je je je crois que je j'axerais mes efforts pour que l'école / s'ouvre

davantage sur le monde extérieur / et aussi peut-être une des premières

choses que je ferais / c'est (euh) diminuer / euh les effectifs des classes /

Significations : intonation, mots et gestualité

Indiquez *les paraphrases qui, selon vous, précisent le mieux les significations communiquées par* CHRISTELE, *quand elle dit:* « le rock » *(G.U. p. 186, l. 37)*

    a. Je développerais le rock
    b. C'est évident / cela va sans dire
    c. Il n'y a pas d'autres possibilités/ pas d'autres réponses possibles
    d. *Autres...?*

Séquence 2

Si je n'avais pas été instituteur

- - - - - - - - - - - - - - -

Activité de consolidation : géminée

Observez *le* « rythme de géminée » *dans la parole de* JOSIANE

13 « / qui me permette de voyager / »

Il résulte du rapprochement de 2 consonnes prononcées proches: [t] et [d] (le [t] est influencé par le [d] et transformé en [d])

Activité de consolidation : phonèmes et organisation rythmique

Codez *le texte suivant en fonction de la prononciation de* CHRISTELE :

1 « Ah si je n'avais pas été institutrice j'aurais été chanteuse de rock voilà »

Significations : intonation, mots et gestualité

Indiquez *les paraphrases qui, selon vous, précisent le mieux les significations communiquées par* CHRISTELE, *quand elle dit :* « **voilà** »

- a. La réponse est tout simple (rapide / facile)
- b. Je n'ai rien à ajouter sur ce thème
- c. Je n' ai pas fini de parler
- d. *D'autres...?*

Observation, notation, description de la gestualité et compréhension

Notez *de mémoire (en français ou dans votre langue), les gestes (au sens large) produits par* ALAIN. **Confrontez**, *si possible, vos notes à celle(s) d'autres personnes.*
Quelles conclusions tirez-vous de ce travail ?

Significations : intonation, mots et gestualité

Observez *la manière dont l'intonation - et la gestualité - contribuent à organiser la parole d'*ALAIN *et sa compréhension :*

16 « Si je n'avais pas été enseignant / je crois que / ah j'aurais b– – beaucoup aimé être explorateur /

ou / ou alors gardien des eaux et forêts c'est une idée qui m'a toujours euh parcouru l'esprit / c'est-à-dire un peu euh / euh me baladerdans les forêts et / et et / et à la recherche de de / des différents arbres un peu / intervenir au / au sein du monde de la forêt / voilà sinon je

(à) un moment j'aurais aimé être prof de gym mais / mais non / non en fait ça m'a vite passé c'était parce que j'ai / à un moment quand j'ai appris le latin aussi je voulais devenir curé parce que je pensais que c'était (—) / l'unique occasion de pouvoir (euh) finalement parler latin couramment / mais ça m'a vite passé d'ailleurs ça m'a (vite passé) / »

Les ryhtmes scolaires

Unité 12

Séquence 1

Mercredi ou samedi libre ?

- - - - - - - - - - - - - -

A **Activités de consolidation : phonèmes**

Codez les 3 catégories de voyelles nasales présentes dans l'intervention d'ANITA

20 « Bien pour l'instant l⊡e rythme de la s⊄maine m⊡e convient tout-à-fait / j⊡e j⊡e

n⊄ suis pas pour qu⊡e l⊡e sam⊄di matin euh soit gommé euh d⊡e d⊡e la

s⊡emaine / moi j⊄ pense qu⊡e l⊡e sam⊄di matin euh / a ▼ a sa place dans l⊡e

rythme euh d⊡e d⊡ela s⊡emaine et euh / c'est vrai qu⊡e j'estime ▼ qu⊡e l⊡e

mercr⊡edi / est une euh ▼ est une bonne coupure pou – – pour les enfants /»

B **Significations : intonation, mots et gestualité**

* **1.** *Formulez* les paraphrases qui , selon vous, précisent le mieux les significations communiquées, globalement, par BÉATRICE quand elle dit (G.U. p. 189, l. 33) : « **moi personnellement je je souhaiterais pouvoir être avec mes enfants** »

    a.
    b.
    c.
    d.
    ....

* **2.** *Indiquez* si, en disant « **est une bonne coupure pour les enfants** », (G.U. p. 188, l. 24) ANITA communique, globalement, l'équivalent de:

    a. J'ai exprimé une idée incomplète
    b. Je vais continuer à parler sur le même thème
    c. Je vous laisse la parole / je vous passe la parole

Séquence 2

Des journées trop longues

A Significations : intonation, mots et gestualité

*1. Indiquez les paraphrases qui, selon vous, précisent le mieux les significations communiquées, globalement, par ANITA, quand elle dit (G.U. p. 189, l. 1 à 5) : « **peuvent rester ... douze heures /** »

a. C'est un peu incroyable
b. C'est absolument in croyable
c. C'est un fait / c'est une réalité
d. Eh oui c'est comme ça / on n'y peut rien / c'est une réalité qui s'impose
e. C'est un peu triste
f. Autres ...?

*2. Observez la gestualité d'ANITA (au sens large) dans la pause présente entre « **je crois que** » et « **certains parents n'ont pas le choix** » (G.U. p. 189, l. 7) .

Indiquez si , selon vous, cette gestualité

a. appelle / reprend une signification communiquée par les éléments verbaux et non verbaux antérieurs
b. communique une signification nouvelle
c. annonce une signification qui sera ensuite communiquée par les mots et l'intonation à venir.

Séquence 3

Post scriptum

A Activité de consolidation : synchronisation rythmique

Observez la marque visible des syllabes accentuées dans les gestes (= synchronisation des accents et des mouvements de la tête, des yeux, des sourcils)

3

Cette activité fait suite à D p. 139 et à B p. 140. Quand vous parlez français, efforcez-vous de réaliser la synchronisation nécessaire sur les syllabes accentuées : c'est une condition déterminante d'une bonne prononciation.

B Significations : intonation, mots et gestualité

1. Indiquez les paraphrases qui, selon vous, précisent le mieux les significations communiquées par F. MARCHAND, quand il dit : « **il a disparu** » (l. 3)

a. Il a probablement disparu
b. Il a déjà disparu / c'est déjà fait
c. Par opposition avec ce que vous avez dit
d. C'est une certitude
e. *Autres...?*

* **2. *Reliez*** *les mots prononcés par F. MARCHAND et les gestes visibles simultanément :*

a. « alors évidemment »
b. « les anciennement formés »
c. « de rendre égaux »
d. « dans la mesure »

1. geste des deux mains et de la tête vers l'avant
2. geste de la tête et regard vers sa gauche
3. geste de la tête et regard vers sa droite
4. geste de la main droite vers l'avant

* **3. *Indiquez*** *les paraphrases qui, selon vous, précisent le mieux les significations communiquées par F. MARCHAND, quand il dit:* **« et qui ne deviennent pas systématiquement professeurs des écoles »**

a. J'attire votre attention sur ce fait
b. Il faut le reconnaître
c. Mais c'est comme ça / il n'y a rien à faire
d. *Autres...?*

C Activité globale de consolidation

Préparez, *à l'aide des codages que vous avez utilisés dans toutes les Unités, la restitution aussi fidèle que possible de cette séquence.*
Nous vous suggérons la procédure suivante :

- *faites des écoutes successives et, pendant chacune,*
- *codez l'un des éléments, dans l'ordre indiqué ci-dessous :*
pauses, e instables prononcés et supprimés, syllabes accentuées, liaisons,
enchaînements consonantiques et vocaliques, voyelles et semi-voyelles prononcées.

12 « Alors le terme instituteur ne va pas disparaître il a disparu dans la mesure où

maintenant on ne forme plus les instituteurs mais desprofesseurs des écoles ce

qui manifeste bien la volonté de de rendre égaux en dignité ceux du primaire

et ceux du secondaire alors évidemment il subsiste des instituteurs (ce) sont

ceux qui sont les anciennement formés et qui ne deviennent pas

systématiquement professeurs des écoles mais ils sont en voie d'extinction »

- *après avoir vérifié le codage, dites ce texte en vous aidant de mouvements qui facilitent la synchronisation rythmique accentuelle (voir G.U. p. 155).*

Achevé d'imprimer par Ouest Impressions Oberthur - 35000 Rennes
Dépôt légal n° 16086 - Mars 1995